ウズベキスタンの桜

中山恭子

KTC中央出版

ウズベキスタンの桜

中山恭子

KTC
中央出版

もくじ

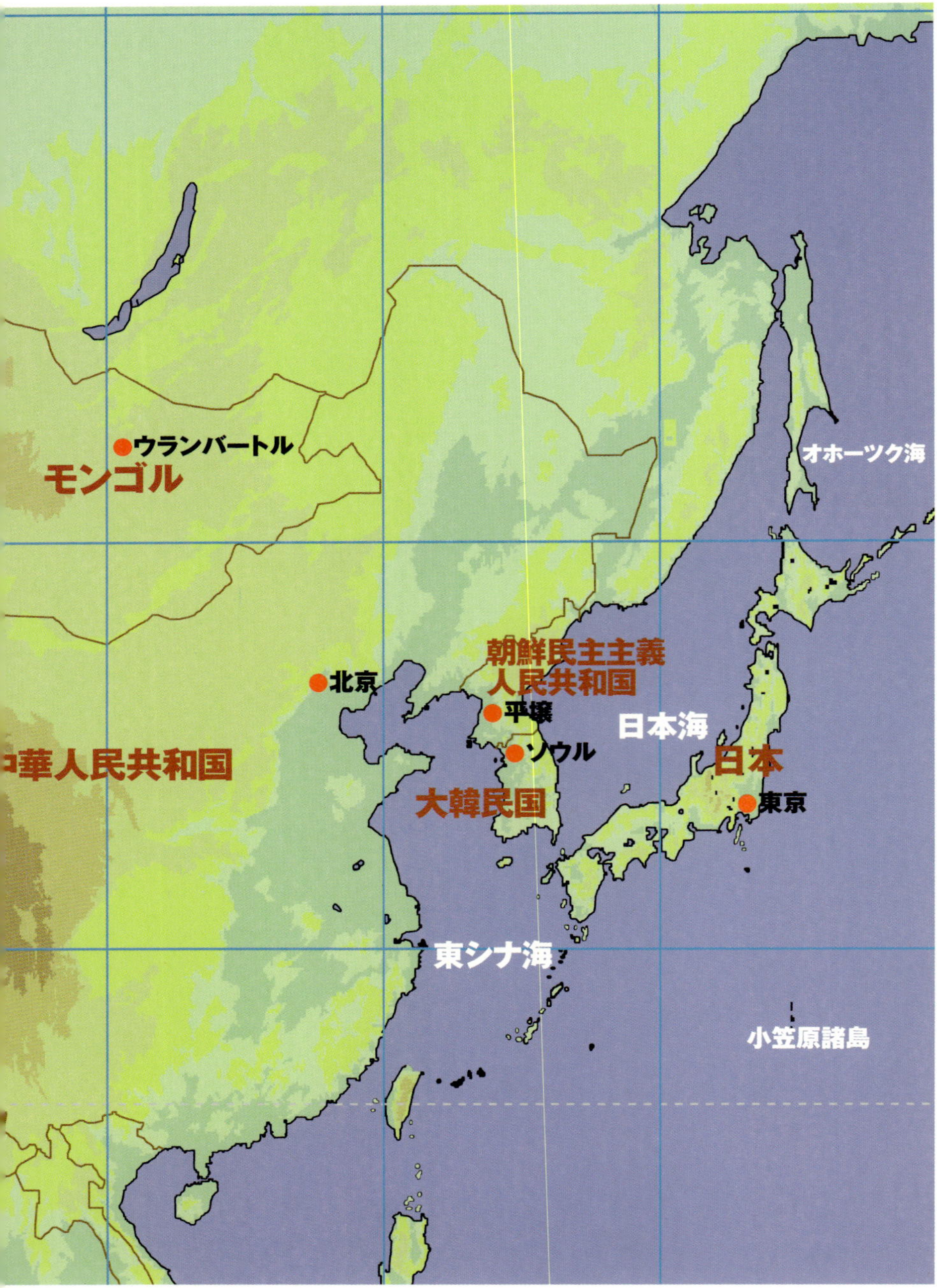
ウランバートル
モンゴル
中華人民共和国
北京
朝鮮民主主義
人民共和国
平壌
ソウル
大韓民国
日本海
日本
東京
オホーツク海
東シナ海
小笠原諸島

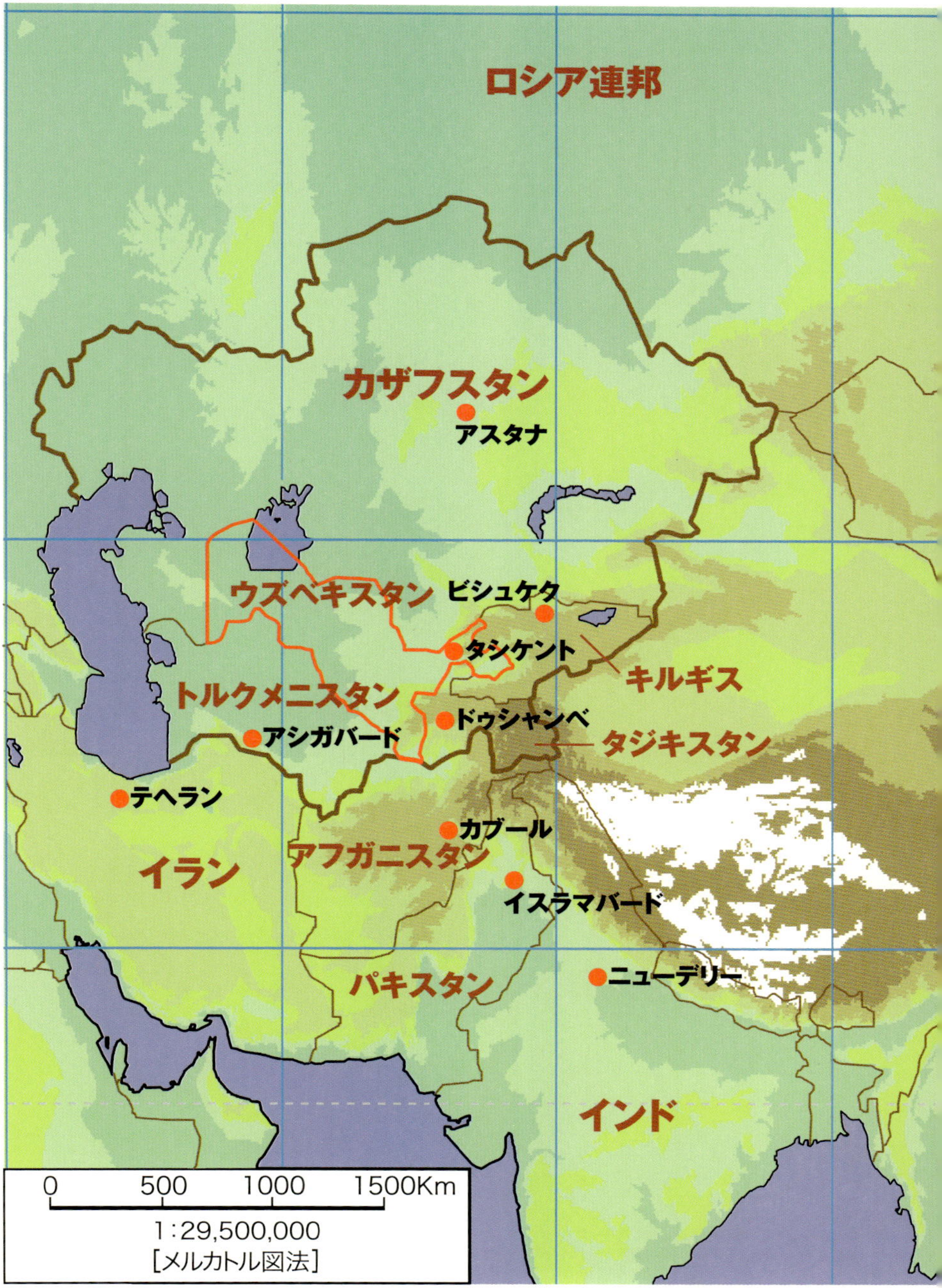
ロシア連邦
カザフスタン
アスタナ
ウズベキスタン
ビシュケタ
タシケント
キルギス
トルクメニスタン
ドゥシャンベ
タジキスタン
アシガバード
テヘラン
カブール
アフガニスタン
イラン
イスラマバード
パキスタン
ニューデリー
インド
0
500
1000
1500Km
1:29,500,000
［メルカトル図法］

カザフスタン
クジル・オルダ
ジャンブル
ビシュケク
チムケント
キルギス
シルダリア
チルチク
タシケント
アングレン
ナマンガン
アンディジャン
コカンド
フェルガナ
ホジェント
ザラフシャン
サマルカンド
（チムール帝国〈1370～1500〉の首都）
シャフリサーブス
（チムール生誕の地）
タジキスタン
カルシー
ドゥシャンベ
クリャブ
クルガンチュベ
テルメズ
（仏教遺跡が多数存在）
アフガニスタン
コンドゥーズ

ベイネウ
アラル海
灌漑取水により水位低下
面積が60年代の3分の1に
カラカルパキスタン自治共和国
ヌクス
ウズベキスタン
ホレズム州
ウルゲンチ
ヒワ
トルクメニスタン
ブハラ
（サーマン朝ペルシャ
〈874～999〉の首都）
アムダリア
アシガバード
0 100 200 300Km
1:7,350,000
[正射図法]

ブハラのミリ・アラブのメドレセとカラーン・ミナレット

タシケント、サマルカンド、ブハラ、ヒワ……
何という懐かしい響きでしょう。
シルクロードの街々。
遥か彼方に、でも何故か時空を超えて
とても身近に存在する世界。
ウズベキスタンを訪ねたら、
日本人であればどなたでも、
まるで古き良き時代の日本に来たかと、
ほっとした気持ちになることでしょう。

第一章

着任
ウズベキスタン大使として

一九九九年八月八日、東京から久しぶりに息子達と一緒に新幹線に乗り、遠足のような賑やかさで名古屋国際空港へ向かいました。青空が広がり真夏の強い陽射しが降り注ぐ空港広場で、二、三日前にやっと間に合って買い入れた二台のイリジウム電話の試験通話をし、「この電話があれば山の中や砂漠の中からでも、何時でも連絡出来るから」と、無理に安心したような素振りで電話機をスーツケースにしまいました。

夫中山成彬は、ウズベキスタンまで付き添って行くと言って宮崎から合流しました。これまでいつも別々に行動していてエスコートされたことなどなかったので嬉しく思いましたが、中山としては付き添いもさることながら、初めての土地なのできっと行ってみたかったのでしょう。

見送りの方々は、あまり馴染みのない大変な国へ大使として赴任すると考えてか、言葉には出さないながらも少し不安げで、慰めを言うのも不適切だしと少し戸惑いながら、皆とても優しく明るく送り出してくれました。

航空機が飛び立つと白い入道雲が視線の正面に立ち上がり、窓の下には濃い青い海、白い波打ち際、くっきりと続く薄茶色の海岸線そして豊かな緑に包まれた日本の陸地が広がっています。この見慣れた風景ともしばらくお別れです。

やがて飛行機は日本海を越え、広大な中国を横切ります。窓の下に広がる風景、移り変わる景色を楽しんでいました。

機内がくつろぎ始めた頃、景色が一変しました。日本では想像も付かない景色がそこに広がっていました。ほかの惑星ではないかと錯覚しそうです。中山も、そして夏休みの一時帰国で一緒になったアリシェル・シャイホフ駐日ウズベキスタン大使（当時）も、それまでの会話を止めて、この景色を食い入るように見つめていました。

想像を遥かに超える広大な砂の広がり。砂漠。見渡す限り波打つカーキ色の風景が、行けども行けども続きます。生き物などとても住めないのではないか……そう思わせるほど荒々しい自然の姿がそこにありました。地球はいずれこのような砂漠で覆い尽くされてしまうのではないだろうか。空恐ろしい景色が続きます。

機長が少しの間コックピットに招いてくれました。三百度の見晴らしの中で、まるで宇宙空間に浮いているような錯覚を覚えます。『星の王子さま』を思い出しました。サン＝テグジュペリはこのような空間の中であの物語の構想を得たに違いないと、勝手に納得しました。

圧倒されながら目を凝らしていると、そんな単調な風景の中に真っ直ぐに伸びる線が見えます。あれはたぶん……道路か鉄道だったのでしょう。遠い昔、キャラバン隊はこの砂漠を駱駝《らくだ》とともに何日もかけて横切ったのだろうとぼんやり考えていたら、果てしない砂地の隅にとぼとぼと歩く小さな駱駝の行列の映像が目に浮かび、厳しい自然とともに過ごしてきた人間の営みの切なさを思いました。

何時間ほど飛んだでしょうか。タクラマカン砂漠を過ぎる頃、神々しいほどの岩山の山脈が姿を現しました。黒々とした岩だけの山々が聳《そび》え立ち、剥き出しの山肌が目の前に迫ってきます。一年中溶けることのない雪が切れ込んだ谷間に積もり、白く光っています。砂漠に続く山々にも緑色は全くありません。

飛行機の窓から見えるこの時の景色は、星としての「地球」を強く感じさせるものでした。たまたま与えられた日本の優しい環境、緑に覆われた日本の柔らかな自然に改めて感謝の気持ちが湧きました。

そんな荒々しい岩山を横に見て褐色のタリム盆地を過ぎ

果てし無く続く砂漠

ると、窓の下に緑に覆われた平野が現れました。
オアシスの都……そこが赴任地、ウズベキスタン共和国の首都タシケントでした。

飛行機の窓から　天山山脈の峰々

日本人とそっくり

名古屋国際空港を離陸したのが八月八日昼の十二時。日本とウズベキスタンの時差は四時間。ウズベキスタン航空機は、約八時間の飛行で同日の現地時間午後四時に、パイロットの見事な操縦でタシケント空港に静かに着陸しました。

タラップの上に立つとどっと熱気が襲ってきました。日本と違い湿気がないためからっとしていますが、かっと照り付ける強烈な陽射しは日本の比ではありません。

タラップを降りながら不思議な気持ちになりました。遠い中央アジアの国にやって来たというのに何の違和感もありません。違和感を覚えるどころか、まるで日本の何処かの空港に到着したようでした。

ウズベキスタンの人々の顔つきは私達日本人とよく似ていると聞いていましたが、そのとおりです。仕種《しぐさ》も日本人と同じ、いや、もっと穏やかでもっと素朴でした。迎えに来てくれた日本大使館の人も、ウズベキスタン外務省の人も、空港職員も、皆同じ様子で、どなたが日本人なのかまるで区別がつきません。日本から遠く離れた中央アジアに、こんなにも日本人とよく似た人々が住んでいると知って嬉しくなってしまいました。

すれ違う時、話しかける時、待合室への出入りの時、ウズベクの人々は遠慮します。「どうぞご遠慮なく」とつい声をかけてしまいました。声に出して感動を覚えました。ヨーロッパで生活した時も、アメリカで過ごした時も「ご遠慮なく」という言葉を使った覚えがありません。「躊躇する」ことはあっても、相手のことを慮《おもんぱか》って自身の行為を押し留める「遠慮する」態度には出会いませんでした。ほかのアジアの国々に滞在した時でも、「どうぞご遠慮なく」という言葉は殆ど使いませんでした。外国に出て、遠慮することを身に付けている人々に初めて出会いました。どんなにびっくりし嬉しかったことか。

こうしてウズベキスタン大使としてタシケントの地に立ち、その後三年間、毎日「どうぞご遠慮なく」という言葉を使って過ごすことになりました。

人種のるつぼ

ウズベキスタンの人口は、約二千五百六十万人（二〇〇三年）。中央アジア全体の人口は約五千六百八十万人（二〇〇三年）ですから、ほぼその半分の人々がウズベキスタンに住んでいることになります。

スタンとは国や地域を意味します。ウズベキスタンは「ウズベク人の国」ですが、実際には百二十を超える民族が住んでいると言われています。まさに「人種のるつぼ」です。「人種のるつぼ」といえば、例えばアメリカのニューヨークを思い浮かべる方も多いと思いますが、それともまた違います。

確かにニューヨークの街角で信号待ちをしていると、アングロサクソン系の人、アフリカ系の人、ラテン系の人、インド系の人、アラブ系の人、アジア系の人などそれぞれの特徴を表して行き交う人々を目にします。「この交差点だけで、

中央アジア諸国の人口

（2003年国連）

国　名	人口 （百万人）
ウズベキスタン	25.6
カザフスタン	14.9
タジキスタン	6.3
キルギス	5.1
トルクメニスタン	4.9

国　土

面積：44万7,400km²（日本の約1.2倍）

特徴：国土の約6割は砂漠、ステップ又は準乾燥地

言　語

公用語はウズベク語

（チュルク語系。ただし、サマルカンド、ブハラ等の地方都市の諸方言はペルシャ語の影響を強く受けている）

いったい何種類の人種の人々がいるのだろう？」と不思議な気持ちになりますが、ウズベキスタンの場合はそうではありません。異なる人種がそれぞれ存在しているというのではありません。百人いれば百人が皆違います。顔かたちや髪の色などは違っていて当たり前。そして一人ひとりがウズベキスタン共和国の国民であるが、自分はタジク人、ドイツ人、タタール人、ロシア人、ギリシャ人、ユダヤ人、韓国人……と、それぞれ自分自身の民族をはっきり認識しています。

その一方で、皆、何処か共通したものを持っています。渾然とした統一感とでも言ったらいいのでしょうか。それぞれが異なる民族ですが、同じ地域、同じ文化を共有して生きている人々なのだと感じさせるところがあります。シルクロードの長い歴史の中で培われた統一感と言ってもいいのかもしれません。

日本人がウズベキスタンの街角に立っていても全く違和感はありません。ウズベキスタンに着いたばかりの日本人が、ウズベキスタンの人にウズベク人と間違われてウズベク語で

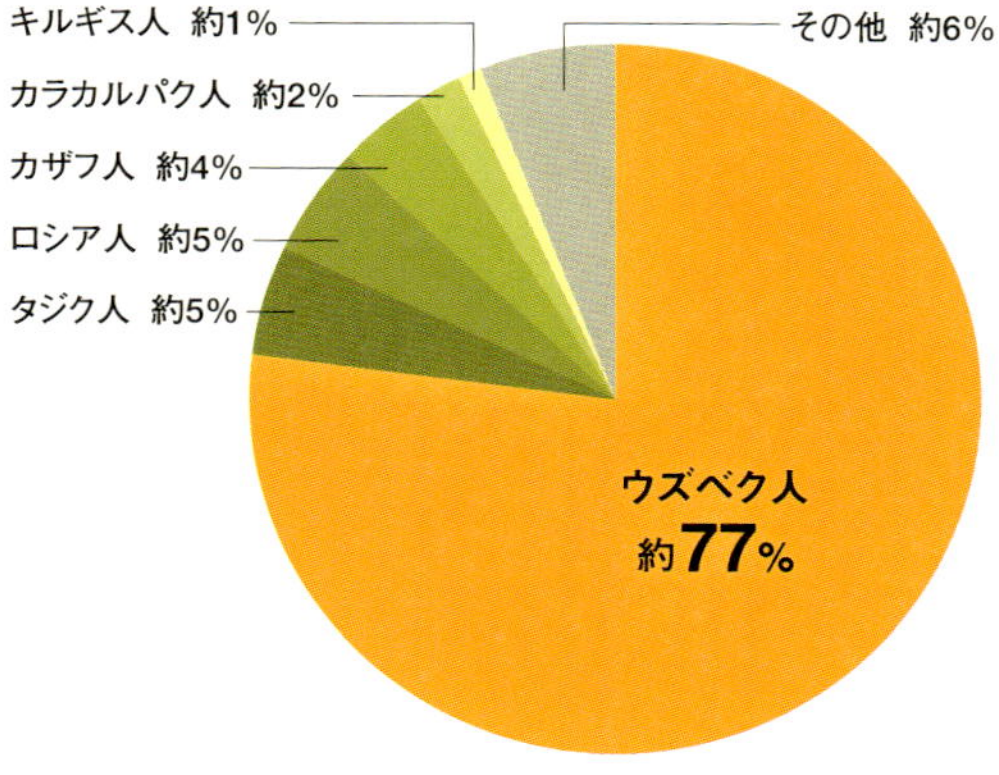

ウズベキスタンの民族分布

2001年1月ウズベキスタン政府推計
“Population Migration in Uzbekistan 1989-1998” UNHCR

話しかけられたり、道を聞かれたりすることも珍しいことではありません。

日本はシルクロードの終着点です。きっと日本人も長い歴史の中で、いろいろな民族の血が混じり合い現在のようになったのでしょう。一つの民族であると言われている日本人の顔が実は大変変化に富んだものであると、ウズベキスタンに住んで改めて感じ入ったことでした。

ウズベキスタン共和国の国旗
三日月はイスラム、星は12の州、青は空、白は綿花、緑は樹木、細い赤い線は先祖を象徴

ウズベキスタン共和国の紋章
左側は綿の花を、右側は麦を、中央は幸せを運ぶコウノトリを図案化

大使館での初日

タシケント到着の翌日、中山は早速日帰りでサマルカンドへ出かけました。

私は大使館へ出勤。その当時使っていた大使館はびっくりするほど傷みの激しい建物でした。日本との外交関係が開始された一九九二年に日本大使館用にと建設されたものだそうですが、ソ連崩壊によって独立したばかりの国では建設資材もままならず、熟練した建築家もいない状態で建てたせいか、築七年とは到底思えないほど老朽化していました。階段は一度に多くの人が上ると落ちるのではないかと心配になりましたし、庭に面したバルコニーは崩れ落ちそうなので決して上ってはいけないとされていました。壁には至るところひびが入り梁は傾いていました。二階の廊下は歩く度に大きな軋み声を上げ、鶯張りの廊下と呼ばれていました。でも大使の部屋には日本の国旗とウズベキスタンの国旗が飾られ、ウズベク人が作った素朴な会議机と椅子が並び、小綺麗な雰囲気がありました。

大使館の職員は大使を含めて日本人十一人、現地採用十六人。皆

旧大使館の大使室にて　夫中山成彬と

明るく、少しのんびりした様子でした。女性大使は初めてのことでしたので、遠慮がちに少しはにかんだように、でも興味深そうに挨拶してくれました。このスタッフとこれから一緒に仕事をしていくことになります。きっと素敵な仲間になることでしょう。

大使館での慌しい初日を終え、夕方仮公邸に戻りました。公邸は当時改築中で仮住まいでしたので、開ける荷物は必要なものだけになりますが、そうは言っても日本的なものも置きたくて宮崎の友人が送ってくれた市松人形と埴輪を取り出して飾りました。公邸のスタッフが荷物を開けながら、和食器や人形を見て嬉しそうにしています。リュウバさんはロシア人。とても綺麗な女性で、とても真面目です。身の回りのこと全て任せて大丈夫そうです。庭師のアンバールさんも安心していて良さそうです。ウズベク人で、表情が日本人と一緒ですので、言葉は通じなくても理解し合える気がします。このほかにタタール人と韓国人のスタッフが働いていました。皆信頼できそうです。料理人田代信さんは小畑紘一前大使の時にもここに勤務していたので、戻ってきたのが誇らしげです。早速バザールに出かけたり調理場を整えたり、料理人として働き始めていました。

街路樹の街　タシケント

ウズベキスタンに到着して三日目の午後、中山とタシケントの街の散策に出かけました。

タシケント市は人口約二百五十万人（二〇〇三年）。ソ連時代に旧市街地に加えてロシア系住民などのために計画的に新市街が建設されており、近代的な街並みが続きます。でもヨーロッパの街と違って少し田舎風で馴染みやすい気がします。道路は広く、葉を茂らせたりっぱな街路樹が大きな木陰をつくっています。伸び伸びと育った見事な木々を見ながら、定期的に剪定されて枝がまるでコブのようにゴツゴツしている日本の街路樹が可哀想に思えてきました。日本の街路樹ももっと伸び伸びと繁らせてやりたいものです。

もう一つ日本と違う点に気が付きました。街の中で車を走らせると、風が通り抜け、奥行きのあるすっきりした景色が車窓から眺められます。道沿いがすっきりとしています。東京の道路を車

新緑が芽吹き始めたタシケントの街路樹（2005年3月）

首都　タシケント
緯度：北緯41度
（下北半島付近に相当）
人口：250万人（市）
（2003年国連）
標高：約430メートル

で走る時の圧迫感がありません。あの白い鉄板製のガードレールが無いからだと気が付きました。道路が少しデコボコしていますが、このすっきり見通せる並木路はそれを補って余りあるほどの心地良さです。

街路樹の幹の根元は一メートルくらいの高さまで白く塗られています。丁度白い柵が続いているようです。虫除けのためと聞きましたが、よく見ると電柱もやはり同じ高さまで白く塗られています。虫除けと目印の両方の目的を兼ねているのでしょう。

人々は強い陽射しを避け、街路樹がつくる涼しい木陰を伝って歩いていました。今でも、タシケントというと広い道路と強い陽射し、その陽射しから人々を守ってくれる大きくて優しい緑の街路樹が浮かんできます。

街では、日本からの観光客にも出会いました。若い学生達や小グループのツアー客、ウラジオストックに住んでいるという年配のご夫婦もいました。

ナヴォイ劇場をバックに中山と

信任状奉呈式

翌日の朝、帰国する中山をタシケント空港で見送りました。ウズベキスタンの人々と直接接してきっと安心したのでしょう。街の様子を見て、治安の面でも大丈夫と確信したようです。「君も大変だろうけど、大丈夫そうだね」と、いともあっさりと飛行機に乗り込み、見えなくなりました。

独り残るのは何とも言えず寂しいものです。別れではいつも出て行く者より残される者の方が数段寂しく感ずるものなのでしょうか。この茫々としたユーラシア大陸の真ん中にただ一人ポツンと佇んでいるような気分でした。

大使館に戻ると、その日の午後に外務大臣との面会予定が入っていました。「信任状奉呈式を明日行う」とのことでした。この国では異例の早さだそうです。信任状を奉呈して、初めて特命全権大使としての活動が出来るようになります。

天皇陛下からいただいた信任状を奉呈するために、イスラム・カリモフウズベキスタン共和国大統領にお会いしたのは、到着して五日目、八月十二日のことでした。大統領官邸で信任状奉呈式が厳かに執り行われました。

カリモフ大統領は、一九三八年サマルカンドに生まれ、八九年にウズベキスタン共産党第一書記となり、九〇年ウズベキスタン・ソビエト社会主義共和国大統領に就任し、九一年八月三十一日、ウズベキスタン共和国の独立を宣言しました。独立直後の九一年十二月の選挙によって、ウズベキスタン共和国大統領となった人物で、厳しい方と聞いていました。

ウズベク語で「オクサロイ（白い館）」と呼ばれる大統領官邸に着き、儀典長の案内で大広間に入りました。厳粛な雰囲気の中、日本側は大使、高橋博史参事官（当時）と笹目賢一郎書記官（当時）の三人が並び、ウズベキスタンの主要関係者が緊張した面持ちで立ち、大統領のお出ましを待ちました。

奥の扉が開かれ、数人の側近に囲まれてカリモフ大統領が広間にお立ちになりました。口をしっかり結んでじっとこちらを見ています。信用出来る方だと感じ、自分が優しい気持ちになっていくのが分かりました。間をおいて大広間の中央まで歩を進め、ゆっくりと素直な気持ちで言上を述べました。通訳をする笹目書記官も落ち着いています。笹目書記官のロシア語は素晴らしい。頼もしい限りです。

言上が終わり信任状を奉呈し握手をする頃には、大統領の顔が和らいで微笑が浮かんでいました。旧知のおじ様に再会したような気分です。大統領の目、一瞬で人を見

カリモフ大統領と握手

抜く目は確かです。私を見て安心されたに違いありません。信頼出来ると思われたようです。私の本質を捉えてくださったと感じました。

握手の間に大統領の顔から満面の笑みがこぼれていました。

カリモフ大統領との会談

ぜひ話をしましょうと別室へ移動しました。小さな、でも美しい調度品で整えられた部屋で一時間以上の会談となりました。

「ウズベキスタンにおける信任状奉呈式は、通常二、三名の各国大使とともに、着任後約一カ月後に執り行われ、大統領の会談も各大使約五分ということになっているが、今般の奉呈式は着任後五日目で単独、更に会談が一時間以上というのは当国始まって以来である」と、ウズベキスタン外務省儀典局からコメントがありました。

その時から既に六年も経っていますが、この会談の時の大統領の表情や話題は非常に印象深く記憶に残っています。言葉そのままを覚えているわけではありませんが、多くの話題の中で、特に大統領が伝えたかったことは次の様であったろうと思います。

「とにかく中央アジアのことを知ってほしい。自分の知っていることは何でも教えるから、この地域のことを理解してほしい。

イスラム原理主義について、そしてアフガニスタンにおける国際テロ集団について知ってほしい。中央アジアがこのグループとどのように対峙しているかについても。

イスラムは神聖な宗教である。自分もイスラム教徒であるし、ウズベキスタン国民の約八割がイスラム教徒である。しかしイスラム教徒の中には、過激で狂信的な者がいる。イスラム原理主義は極めて危険な恐ろしいイデオロギーであり、このイデオロギーが存在する限り、オサマ・ビンラーデンを捕らえても第二、第三のビンラーデンが出現する。イスラム原理主義者達は進歩や人道主義、民主主義的価値を認めようとせず、彼らの持つ唯一の手段は戦争及び殺戮である。自分は国連や欧米諸国でこの恐ろしさについて説明したが、自分の発言は理解されなかった。

カリモフ大統領との会談

現に今、タジキスタンで活動していたイスラム原理主義グループの武装テロリスト二十一名がウズベキスタンに入ろうとして、キルギスの山の中まで来ている。彼らは現地の人を捕まえ人質としてお金や食糧を要求している。このテロリスト達はウズベキスタンに侵入して、ウズベキスタンで破壊工作をすることが目的である。この国際的なテロの脅威を避けるためには、国内にいかなる社会不安も起こしてはならないのだ」

「このイデオロギーは国境を越えた危険なものであり、我が国からも青年達がアフガニスタンやチェチェンに連れ出され、そこでテロリストの訓練を受けている。我が国の子供達を悲劇から守ることは自分の責務であり、このため教育に重点を置き、子供達を自己の将来について考えることの出来る教養ある人間にしたいと考えている。テロに対抗できるものは教育しかない。この点について日本のご理解をいただければ有難い」

「また、ウズベキスタンは日本のＯＤＡ（政府開発援助）を高く評価している。日本はこのような有意義な協力を行う唯一の国であり、ウズベキスタン国民は永く日本に感謝することになろう」

「ウズベキスタンと日本はともにアジアの国であり、両国民のメンタリティーには共通性がある。ウズベキスタンの改革及び社会の刷新には人材養成が重要であり、この分野において日本からの支援を期待している。ウズベキスタンの学生が日本で学ぶことは勿論であるが、日本から教師を派遣していただきウズベキスタンの大学で教えてもらえれば大変有難い」

「それからもう一つ、日本が女性大使を派遣してきたことに驚いたが、大層嬉しいことであり喜んでいる」

大統領は中央アジアの情勢について熱心に語りました。日本の人々に中央アジア、そしてウズベキスタンを理解してほしいと心から願っていることが伝わってきました。お話を伺いながら、現状を正確に把握する力、未来を見据える優れた洞察力の存在を感じました。

また初代孫崎享大使以来、日本政府がウズベキスタンの自立と安定を願って行っているODAを通して、日本に対し絶大な信頼が寄せられていることを直に感じました。大統領の話を聞きながら、カリモフ大統領の著書（『経済改革の深化の道を歩むウズベキスタン』）の中に、「民衆の知恵は教えている。新しいものを建て終わらないうちは、古いものを壊してはならない」との文章があったのを思い出しました。独立してやっと自国の文化を堂々と大切にすることが出来る喜びと、周囲の国々からの脅威を抑えつつ建国に力を注ぐ並々ならぬ熱意を感じます。

この大統領との会談の後ウズベキスタンの人々と会って話をするうちに、ウズベキスタンの情勢を見る時、日本人の目で見ることが大切だ、と感じるようになりました。日本人は微妙なニュアンス、行間を読み取ります。ウズベキスタンの人々も言葉を控えたり、阿吽《あうん》の呼吸で心を通わせたりしますので、ウズベキスタンの人々の言葉を日本人同士の会話の言葉として受け止めれば、正確に理解したことになりそうです。欧米人の目でもロシア人の目でもなく、日本人の目で素直な解釈をしていこうと考えま

信任状奉呈式の後
大使館のスタッフ達と

した。シルクロードの十字路に当たる地域です。日本人よりも交渉に慣れており、したたかでしょう。でも想像していたよりもずっと生真面目で信義に厚く、思いやりの気持ちを持つ人々に日本から遠く離れたこの地で出会えました。

大使を終えた今でも、日本とウズベキスタンとの友好を深めるため尽くしていきたいと考えています。

第二章

命を守るために

日本人拉致事件

日本人拉致事件発生

一九九九年八月十二日にカリモフ大統領に信任状を奉呈し、特命全権大使としてウズベキスタン政府の要人や各国大使に着任の挨拶をし、九月に開催する日本文化月間の準備を進めていた最中《さなか》の八月二十三日、キルギスの南西部オシュ州で、ＪＩＣＡ（国際協力機構）が派遣していた日本人鉱山技師四人とキルギス人の通訳、キルギス軍関係者二人の計七人が、反政府ゲリラに拉致されたとの連絡が入ってきました。

拉致事件を起こした反政府ゲリラは、ウズベキスタンの東部フェルガナ地方のナマンガン州出身の野戦指揮官が率いる武装グループで、イスラム原理主義を標榜するＩＭＵ（ウズベキスタン・イスラム運動）に所属するグループでした。その指揮官は出身地の地名を捩《もじ》って「ジュマ・ナマンガニー」と呼ばれていました。ＩＭＵはアフガニスタンに拠点を置きウズベキスタンにイスラム原理主義国家を創ることを目標とする過激派組織であり、ＩＭＵの最高責任者ターヘル・ヨルダシェフもナマンガン州出身です。

ＩＭＵ　ウズベキスタン領侵入を繰り返し、テロ事件や拉致事件を引き起こし、アメリカ国務省の国際テロリスト組織リストに挙げられている。二〇〇一年六月頃、ＩＭＴ＝トルキスタン・イスラム運動（党）と改名し、ウズベキスタンのみならず中央アジア諸国及び中国の新疆ウイグル自治区にまたがるイスラム国家樹立へと、目標を拡大したと言われる。

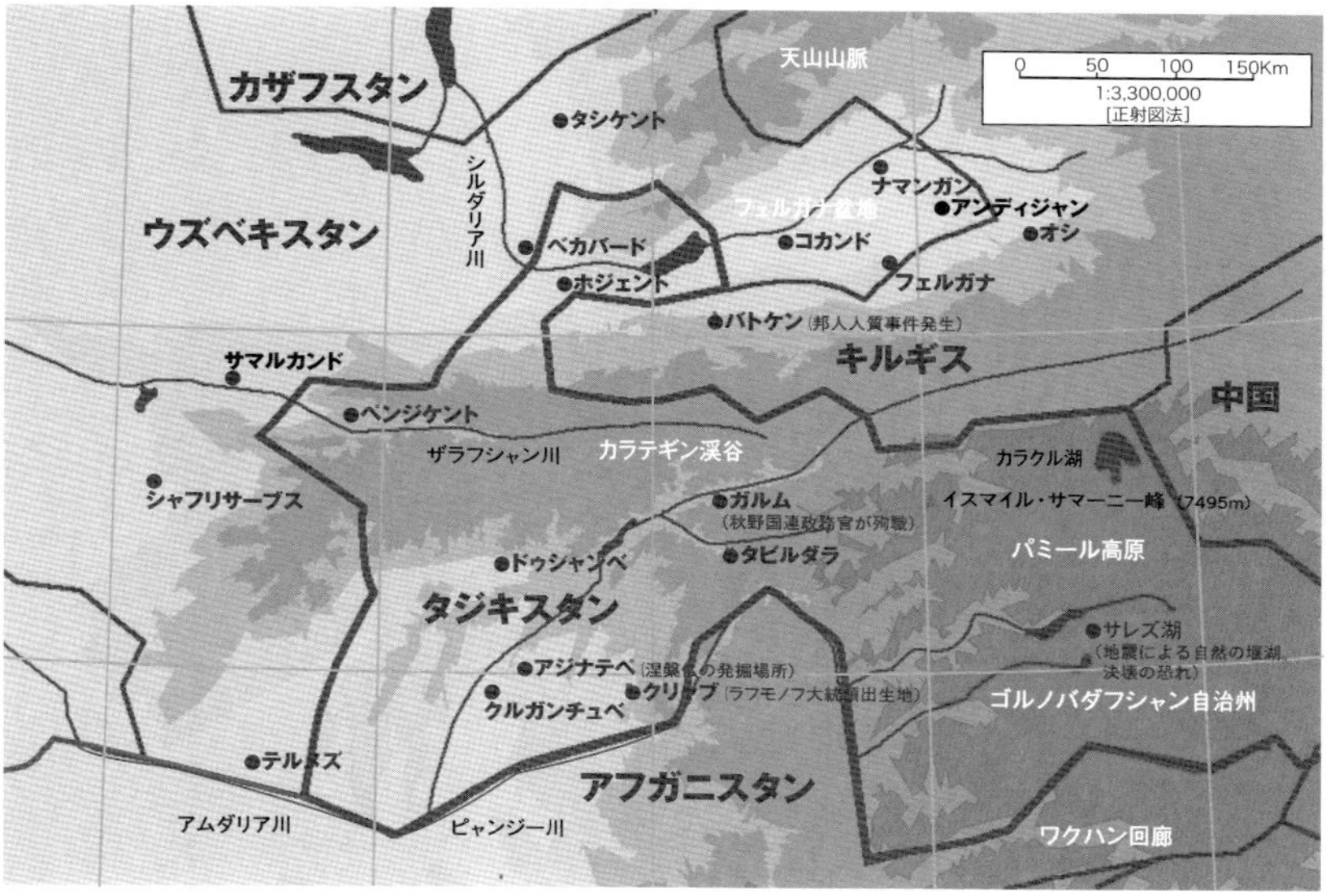

フェルガナ地方はフェルガナ州、アンディジャン州、ナマンガン州の三州からなり、黒い土壌のある盆地ですが、人口が密集し経済開発が遅れ経済的には貧しい地域です。この地方はもともとイスラム色の強い地域で、イスラム教が抑圧されていたソ連時代にも、フェルガナ地方の人々は自分達の伝統を守りイスラム教徒としての生活を続けてきました。

ソ連崩壊後政治的な空白が生じたこともあって、フェルガナ地方では一九九一年以降、イスラム法に照らして不法な行為や不道徳な行為と戦い、イスラム教を国教とすることを目的とした「アダラート（正義）」運動が青年達を中心に拡大しました。この運動はやがてイスラム国家の建設を標榜するなど過激化し、ウズベキスタン政府はこの動きを国家の安定を損ない治安を脅かすものと捉え厳しく取り締まりました。このような動きの中で一九九二年、先述のヨルダシェフ、ナマンガニーなど一部のメンバーがアフガニスタンに逃れ、イスラム原理主義組織などから資金援助を得て武装組織ＩＭＵを結成しました。ナマンガニーはアフガニスタンで戦闘訓練を受け、当時タリバンの支配下にあったアフガニスタン北部のクンドゥースに根拠地を持っていました。

その後、ナマンガニーは内乱状態にあったタジキスタンに入って反政府野党に合流し、タジキスタン北部の山岳地帯カラテギン渓谷の中のジルガタルを軍事補給基地として、アフガニスタンのイスラム原理主義組織アルカイダやタリバンと深い関係を持ち資金提供を受けて、戦闘を繰り広げていました。

ところがこの時期タジキスタンでは、国連の仲介で、タジキスタン政府のエマモリ・ラフモノフ大統領と反政府野党であるイスラム統一党のサイード・ヌリ党首との間で和平交渉が進み、一九九九年八月二十五日までに反政府野党に属する野戦兵士達は武装解除し、武器を政府側に引き渡すことになりました。この和平成立にあたり、タジキスタンで戦っていた多くの野戦指揮官達は、ナマンガニーに対しこの地に留まり平和に暮らそうと提案しましたが、ナマンガニーのグループは和平成立に納得せず武器を捨てずに戦いを続けようとしました。とはいえタジキスタンではもはや活動出来ず、ナマンガニーは、「ラフモノフ・ヌリ和平プロセス」に不満を持つ武装した野戦指揮官達を従えて、タジキスタンを出てキルギスを経由し出身地であるウズベキスタンのフェルガナ地方を目指したのでした。

タジキスタンからウズベキスタンのフェルガナ地方に向かう山岳地帯は国境が入り組んでおり、タジキスタンとウズベキスタンの間に割って入るような形でキルギス領が存在しています。山越えをする野戦グループにとって国境を越えることは日常茶飯事であり、国境は特別の意味を持っていません。日本人拉致事件は、武装グループがウズベキスタンへ向かう途中、キルギス領を通過中に発生しました。

ウズベキスタン政府からは、この地域でイスラム原理主義グループによる拉致事件が頻繁に起きており、彼らは食べるものが無くなると農家の人をさらっては食糧を奪うと日本側に知らされていました。しかし、キルギスのそのような山中に日本人がいることも驚きでしたし、日本人が拉致されるなどということは思いもかけないことでした。

後で分かったことですが、武装グループは意図的に日本人を狙った訳ではなく、拉致したらたまたま日本人だったとのことでした。ナマンガニーは、「この時小さな撃ち合いになり、危険だったから保護したのだ」とも言っていたそうです。

それにしてもテロや拉致といった事柄に対し、自分も含め日本の人々がいかに鈍感であるか、無防備であるか、情報が不足しているか、また情報を活かすことを知らないかを痛感しました。

夜明けの館員送り出し

八月二十三日外務省は本省内に緊急対策本部、キルギスの首都ビシュケクに現地対策本部を設置しました。

事件が起きたのはたまたまキルギス領内でした。しかし日本人を拉致したのは、もともとウズベキスタンから出てタジキスタンで活動していたイスラム原理主義グループです。拉致された日本人を救出出来るのはウズベキスタン政府ないしタジキスタン政府そしてグループに直接的な影響力を持つタジキスタンの関係者でした。

中央アジアに住んでいれば、ナマンガニーやこのグループに対して、何の関わりも無いキルギス政府やキルギスの人々が全く影響力を持たないということは自明のことでした。ウズベキスタン大使館はタジキスタンも管轄していましたので、ナマンガニー・グループについての情報を収集し、

ドゥシャンベ郊外

同時に日本側からのメッセージを伝えるために、タジキスタンに拠点を作る必要がありました。

事件が発生した翌日の八月二十四日には、前年にタジキスタン中部ガルム地方で亡くなったＵＮＭＯＴ（国連タジキスタン監視団）政務官の秋野豊筑波大学助教授の一周忌の行事に参加するため、武見敬三外務政務次官（当時）が塩尻宏外務省新独立国家室長（当時）とともに、タジキスタンの首都ドゥシャンベを訪れており、ウズベキスタン大使館の次席を務める高橋博史参事官（当時）が同行していました。武見政務次官とその一行は直ちにタジキスタン政府やイスラム統一党と拉致問題について交渉に入り、この要請に応えてタジキスタン側は動き始めました。この後、高橋参事官は日本人四人が解放される見通しが付く時まで、ドゥシャンベに張り付いて力の限りを尽くすことになります。

タジキスタンでの活動を補佐するため、直ちに館員を一人ドゥシャンベに送り出すことにしました。ドゥシャンベに行くにはまず陸路で国境を越え、タジキスタン北部の街、その昔アレキサンダー大王が建設した最北のアレキサンドリアと呼ばれた街ホジェントまで行き、そこから朝と夕一日二便しかない国内便でドゥシャンベまで飛ぶことになります。タジキスタンにおける政府と反政府勢力との内戦が激化するに伴い、ウズベキスタンではタジキスタンからテログループが侵入するのを防ぐために、タジキスタンとの直行便廃止の措置が採られていました。現在でも両国間の直行便はありません。

ホジェント発の朝の一便に乗るには、二十四日午前三時頃には大使館を出発しなければなりません。タジキスタンとの連絡やビザの準備、当面の食料品や日用品の荷造りなど、大使館内は突如として慌しくなりました。

さらに事は重なるもので、丁度その日、頑丈な身体の料理人田代信さんがお腹の痛みを訴えてタシケント市内にある国連クリニックの診察を受け、緊急手術が必要と宣告されました。ウズベキスタンでは対応できないので、何はともあれフランクフルトに最も早く着く便で送り出すことになりました。大使館の若い職員達は人質問題で忙殺されていましたが、飛行機の手配や保険の手続き、フランクフルト総領事館の宮村和夫医務官（当時）との連絡などてきぱきと働いてくれました。

その田代さんは事件のことを聞くとやおら起きだし、ドゥシャンベに滞在する人々のためにおにぎりを作り始めました。おにぎりを作り終え、結局、彼はそのまま空港に向かいました。二十四日午前一時のことでした。なお、その日の午後、宮村先生から手術は無事終了し今眠っていますとの連絡が入り、ほっとしました。

田代さんが作ってくれたおにぎりや、日本から持ってきたばかりのカップ麺や缶詰なども持たせ、吉尾一隆書記官（当時）をタジキスタンに送り出したのは二十四日午前三時。その頃には夜もそろそろ明けようとしていました。こうしてその後二カ月に渡るひっそりとした、真剣な大使館の活動が開始されました。

大使館の仲間とともに

この拉致事件についてまだ全てのことを明らかにすることは出来ないとしても、当時何が起きていたのか、現地の大使館はどのように対応したのかを知ってもらうことは中央アジアを理解する上で大事なことであると考え、当時のウズベキスタン及びタジキスタンの状況を可能な限り書き記そうと思います。

日本人を拉致したイスラム原理主義グループは、日本人を連れて早々にキルギスからタジキスタンに引き返しました。当時ナマンガニーは三十一歳。その部下の多くは二十歳前後で、アラブ人やパキスタン人、ウィグル人などの外国人部隊も含まれていました。四千メートル、五千メートルの山岳地帯でも戦闘行為が出来るように訓練された者達で、戦う時には麻薬も使うと言われており、何をするか予断を許しませんでした。

事件解決のためには、このグループに対し実際に影響力を持つタジキスタンと、確実な情報を持つウズベキスタンの協力が必須でした。この両国を管轄する在ウズベキスタン日本大使館が当事者となって、出来得る限りの努力をして救出に当たらなければならないと考えました。若い館員達も当然のこととして、直ちに救出のための作業に真剣に取り組み始めました。

しかし、当時の外務本省が打ち出した方針は、「この事件の解決は事件が起きた国、キルギスの首都ビシュケクに全てお任せする」というものでした。膨大な数の報道関係者がキルギスの首都ビシュケクに集まりました。今になって思えば、この方針が出されたことは、報道陣に煩わされずに救出活動を進めることができたという意味でウズベキスタン大使館にとって好都合だったと言えるのかもしれません。

またタシケントとドゥシャンベに、二週間ないし三週間交代でほかの大使館のスタッフが応援に来てくれました。ただでさえ職員の数が少なく、全員がそれぞれ精一杯の仕事をしており、一人でも欠けるとその分野の仕事が滞ってしまうようなウズベキスタン大使館でしたので、このような措置を採ってもらえたことは大層有難いことでした。

外務本省からウズベキスタン大使館に対する指示は情報の収集のみということでした。しかし現に犯行グループは四千メートル級の山岳地帯を人質を連れてタジキスタン領内に移動しておりました。管轄管内で日本人が身柄を拘束され、その命が危険にさらされているのです。ウズベキスタン大使館としては、関連する情報の収集のみという訳にはいきません。四人を救出出来る可能性が少しでもある限り、自分達は出来る限りのことをすべきであるとの考えで、ウズベキスタン大使館員全員が一致していました。そしてキルギスに任せていては、ウズベク人であるナマンガニーの説得は決して出来ないということを館員達は皆分かっていました。

ウズベキスタン大使館がこのような形で動くことは外務本省から指示されたものではありません。大使として責任を取る覚悟は出来ていましたが、他の者にまで迷惑がかかってはいけないと心配しました。また、たとえ成功したとしても、本省の指示を受けていない館員達の働きを本省では全く評価しないだろうし、誰もその苦労を労うこともないだろう、それでも良いのかと何度も自分に問いかけました。また何度か皆に確かめました。その時いつも「やりましょう」との答えが返ってきました。この時点でも高橋参事官はドゥシャンベで必死の交渉を続けていました。

若い外務省の職員が何と自分の使命に忠実なことか。事態を冷静に受け止め、困難に遭った人々に尽くす気持ちを持っていました。義を見てせざる勇無き者は一人もいませんでした。このような仲間と出会えたことに一人感謝したことでした。

ウズベキスタン大使館がこの事件に関連して動いていることは表立って知られていませんでしたから、大使館員は昼間は通常業務を行い、その合間を縫って、また夜に、拉致事件に関連する仕事をこなしました。必然的に夜中から明け方にかけての作業が毎日続きました。午前三時四時までかかって連絡を取り報告し、次の作業の打ち合わせをするといった状況でした。勿論土曜も日曜もありません。皆「拉致されている人のことを思えば、頑張らねば」と励まし合っていました。

ウズベキスタン政府の協力

拉致事件が起きて三日後の八月二十六日、カリモフ大統領にお目にかかり、日本人の身の安全と救出に当たっての協力をお願いしました。

カリモフ大統領は既に日本人拉致事件に関する詳細をご存じで、「日本人が中央アジアで傷つくことは何としても避けなければならない。日本人人質の安全確保及び無事救出が第一と考えており、そのためあらゆることを行う用意がある」と明言し、「自分のところに入ってくる情報を直接伝えましょう」と約束してくださいました。

日本人救出に真剣に取り組み、ウズベキスタン共和国としてなし得る全てのことをするとのカリモフ大統領の決意がしっかりと伝わってきました。外国にいてなす術もないような困難な状況の中で、真剣に救出に当たろうとしている大統領の存在がいかに心強かったことか。

「ウズベキスタン政府は、日本人の人質がいるにも関わらず、この機を捉えて敵対するナマンガニーを攻撃する」。ある時期、そのような情報が流れたこともありました。そのようなことになれば人質となっている日本人の身の安全にも関わります。私達はウズベキスタン政府を信頼していましたので、この情報は作られたものであると確信していました。ウズベキスタン政府にしてみれば、カリモフ大統領を暗殺の標的とし、ウズベキスタンに混乱をもたらし、ウズベキスタンの最も豊かな土地フェルガナにイスラム原理主義の国を建てようとするナマンガニー・グループを、この機を使って攻撃し殲滅することも可能だったことでしょう。しかしウズベキスタン政府は我慢強く情報を集め、タジキスタン政府と連絡を取りながら日本人人質解放に向けて尽力してくれました。そしてカリモフ大統領はじめウズベキスタン政府が伝えてくれた情報は非常に正確で、その後の救出活動に大いに役立つものでした。

いろいろな機会を捉えて情報が伝えられました。毎日といってよいほどにウズベキスタン外務省へ出かけ、アブドゥルアジズ・カミーロフ外務大臣（当時）に会い連絡を取り合いました。ウズベキスタン外務省は勝手知ったる我が家のようになりました。八月三十一日はウズベキスタンの独立祝賀パーティ、九月一日は大統領公邸（Durmen Residence）で独立記念レセプションが催されました。このレセプションでは、大統領がすっと近づいてこられて周りを数人の関係者が取り囲み、いくつかの情報を伝えてくれました。そのままレセプション会場を失礼し大使館に戻ったことも、懐かしい思い出です。

当時は人質救出が急務でしたので、このような親身な協力を得られたことに特別の感慨も持たず、次の作業また次の作業と追い立てられて過ごしてしまいました。今振り返れば、日本人の安全確保と無事救出を第一と考え尽力してくださった大統領はじめウズベキスタン政府に対し、改めて感謝の念が湧いてきます。

的確な判断を可能にした情報

さて、事件が発生して以来、多くの情報がキルギスはじめ様々なところからもたらされました。事実とは全く異なる作り話のような情報が数多くありました。

その中にあって私達が最も信頼したのが、ウズベキスタン政府からの情報とドゥシャンベに詰めていた高橋参事官の情報でした。特にドゥシャンベからの情報は、錯綜する様々な情報の中で非常に精度の高いものでした。

そもそも高橋参事官は、アフガニスタンの大学を出たこの地域の専門家です。ダリー語を話し、それぞれのグループに多くの友人を持っています。その幅広いネットワークは貴重なものでした。ウズベキスタン大使館に彼のような地域の専門家が勤務していたとは何という幸運だったことでしょう。

拉致事件を起こした野戦騎士団と呼ばれる人々のしきたりや行動形態を知らずに接触することは大変危険です。彼らの判断基準は、相手を信頼出来るか出来ないか、裏切らないかどうかです。それが全てですから、彼らに対して金銭での解決を促しても、それだけでは受入れられる話ではありません。またこの拉致事件を起こしたナマンガニー・グループはタジキスタンの反政府野党と共に戦っていただけでなく、アフガニスタンのタリバンとも繋がっていました。アフガニスタンの状況把握やアフガニスタンの人々とのネットワークがいかに重要だったか言うまでもありません。

高橋参事官は、こうした中央アジアの状況に精通していました。彼は、的確な状況判断の下、適切なメッセージを犯行グループに出し続け、救出のための地固めを辛抱強く進めていったのです。

途中で、解決出来そうだと期待してはやはり駄目だということが何度かありました。例えば事件発生から数日後、九月の初めには「ナマンガニーが人質達を解放する。タジキスタンのミルゾー・ジアエフ非常事態大臣が送り込んだ二人の使いの者が日本人人質を連れて出発することになった」との情報が入ってきました。ミルゾー大臣はタジキスタン・イスラム統一党の武力面の最高指導者であり、ナマンガニーもかつてタジキスタンでミルゾー大臣の指揮下で戦っていましたので、解放される可能性が大きいと期待して、ウズベキスタン大使館では受入れの準備を整えて、人質達が山を降りてくるのを一日一日待ち続けました。ところが、解放直前までいって、失敗してしまいました。いろいろと無責任な報道や噂が流される中で、犯人グループ内に、「金が流れたのではないか」「身代金を手にした者がいるのではないか」「裏切りがあったのではないか」という疑心暗鬼が生まれてしまったとのことでした。

ウズベキスタン大使館内では、身代金による解決はあり得ないという考えで一致していました。身代金を使った場合さらなる人質事件が起きる可能性が増すことに加え、野戦指揮官達の間では、このような身代金を受け取ったら内部で混乱が起きるということが明らかでしたから、指揮官は身代金を受け取れないだろうと判断していました。

高橋参事官は長年築いた人脈を通じて平和裡に人質を解放するよう犯人グループとの交渉を続けていました。ミルゾー大臣の働きかけも身代金を使わずに行われていました。犯人グループが人質を連れて山を降り、直ぐそこまで近づいていながら取り戻せなかったことは大変残念でしたし、それだけでなく、日本人救出活動を誠意を持って直接指揮してきたミルゾー大臣はじめタジキスタン関係者と犯人グループとの間の信頼関係が一時的にせよ壊れたことは大きな痛手でした。

タジキスタンへの協力依頼

タジキスタンでの信任状奉呈式

その後の一カ月は、どの館員も睡眠時間が殆どないような日々が続きました。九月二日に仮公邸から改築の済んだ公邸への引越しがあり、また九月には「日本文化月間」が予定されていました。ウズベキスタンの人々に日本の文化を紹介し、両国の友好を深めることを目的とする行事です。取り止めようかとの考えもありましたが、粛々と開催することにしました。行事開催についてウズベキスタン政府との打ち合わせや大使館としての準備に追われました。日本から一般の旅行者に加えて文化関係者が多数ウズベキスタンを訪ねてきました。全館挙げて取り組む行事でしたので、館員達は全員、通常業務に加えて文化行事関連の仕事に追われ、さらに人質解放のため本省とのやり取りや情報処理に追われるという、寝る暇もない過酷な生活が続きました。明け方に大使館や公邸に集まることも常でした。

何度か人質解放のチャンスがありながら実現出来ない中、何とか打開したいとの思いで、十月八日、タジキスタン共和国のラフモノフ大統領への信任状奉呈式を急遽執

信任状を奉呈しラフモノフ大統領と握手

り行うことになりました。当初九月二日に行う予定でしたが、拉致事件が起き延期されていたものです。大使は信任状を奉呈しなければその国で大使としての仕事をすることが出来ません。タジキスタンでの大使としての活動を始めることは急務でした。

十月八日早朝三時にタシケントを出発し、九時過ぎにタジキスタンの首都ドゥシャンベに到着、午前中に大統領官邸でラフモノフ大統領へ信任状を奉呈し、引き続き行われた会談で、ラフモノフ大統領に日本人人質四人の救出への協力を強くお願いしました。

ラフモノフ大統領は事情をよくご存じで、日本人救出に出来る限り協力することを約束してくださいました。言い振りは少しそっけなかったのですが、「救出に全力を尽くす。当然のことでしょう」とおっしゃってくださいました。ほっとしました。後になって知ったことですが、拉致事件が起きた直後から、カリモフ大統領からラフモノフ大統領に、

「もし、中央アジアで日本人が傷つけられたりしたら、中央アジア全体から日本が引いてしまう。それは中央アジアにとって大きな損失だ。これはタジキスタンだけの問題ではない。なんとしても無事に救出すべきだ」という趣旨の電話が何度も入っていたそうです。

ラフモノフ大統領は高橋参事官のこともよくご存じで、顔を見てにこっとし、「頑張っているよね」と心からの親しみをこめて励ましてくださいました。

タジキスタン共和国は、ウズベキスタン共和国と同様、一九九一年のソ連崩壊後独立した国です。ここでもう一度独立後のタジキスタンの動きを見てみますと、独立後の一九九二年五月、それまで権力の中心にいた共産党勢力とムスリムの国家を創ろうとする反政府勢力が連合政権を樹立しました。しかし同年九月には二つの勢力の対立が武力衝突を引き起こし、ついに内乱状態に発展してしまいました。タジキスタンの内乱が激化した理由の一つに、イスラム原理主義グループが入り込んだことが挙げられます。ア

ラフモノフ大統領との会談

フガニスタンで訓練を受けタリバンから資金援助を受けた過激派の流入により、武力衝突が過激化していきました。

その状況の中、一九九六年十二月にアフガニスタンでラフモノフ大統領と反政府野党のヌリ党首が停戦交渉を開始することに合意し、一九九七年六月には最終和平合意「和平一般協定」が締結され、国連の仲介による和平プロセスが開始されました。少しずつですが、タジキスタンは和平への道を歩き始めていました。閣僚の三割をイスラム復興党が占めることが合意され、ヌリ党首は閣僚にはならなかったものの反政府野党の統一司令官であったミルゾー氏は非常事態大臣のポストに就いていました。過激派を排除し戦闘を治めて、平和な国を創ろうとする努力が実り始めていたのです。

日本人女性の活躍

タジキスタンを初めて訪問したこの時期は、首都ドゥシャンベの街はまだまだ安定しておらず、市街戦が何時起きるか予測出来ない状況でした。この最初の訪問を終え空港に着き、車を降りて建物の前でほんの僅かな時間打ち合わせをしていた時のことでした。突然地面が軋み「伏せろ」と怒鳴る声が飛びました。壁に身を寄せてじっとしていると、三十～四十人ほどの迷彩服に身を包んだ兵士達が銃を肩にかけ足音も荒々しく空港前広場に駆け込んできました。幸いにも私達が標的ではなかったようでしたので、皆そっと建物の中に入りほっとしたことでした。

このような状況の中でも、ドゥシャンベのＵＮＤＰ（国連開発計画）事務所は活発に活動しており、車の側面に「ＵＮ」と大きく書き街中を堂々と走らせていました。

驚いたことにこの国連事務所には、登丸求己ＵＮＭＯＴ民生官（当時）と二人の日本人女性が勤務していました。当時タジキスタンには日本大使館も総領事館もなく、タジキスタンに常駐していた日本人は高橋参事官を除けばこの三人だけでした。登丸民生官は高橋参事官と連絡を取りながら日本人拉致問題について国連関係者に説明し、国連事務所は日本人拉致問題について惜しみない協力をしてくれました。

女性達の活動もほかの国連職員から高く評価され、また親しまれていました。日本女性の明るさと強さに改めて感じ入ったことでした。その後二人はそれぞれ、一人はコソボに、もう一人はジュネーブの難民高等弁務官事務所へ異動していきました。その後もしっかりした活動をしていると聞いています。元気に過ごしていてくれますようにといつも祈っています。

さらに日本人女性のことを言えば、二人が去った後二〇〇一年九月、国連機関ユニセフの駐タジキスタン・ユニセフ代表として、杢尾《もくお》雪絵さんが赴任してきました。ユニセフの職員達を指揮して、現在もタジキスタンの子供達のために一生懸命働いています。

また、一九九八年にタジキスタンがＡＤＢ（アジア開発銀行）のメンバーとなった時以来、ＡＤＢのタジキスタン担当の責任者は本村和子さんでした。まだ治安も安定していない中、年に何度もタジキスタンを訪問し、二〇〇二年にドゥシャンベにＡＤＢの駐在員事務所が立ち上がると初代所長となり、開発計画や投資計画について経済関係者に働きかけ、実施に移していきました。

タジキスタンでの日本人女性の活躍は素晴らしく、敬服してしまいました。

イスラム復興党

ラフモノフ大統領への信任状奉呈が無事終了し、タジキスタン特命全権大使として関係する大臣や政府の要人との会談も済み、タルパク・ナザロフ外務大臣と今後の対応などについて種々打ち合わせをした後、さらにイスラム復興党のヌリ党首に会うことになりました。ヌリ党首はタジキスタン独立後、ムスリム政権国家の樹立を目指し現政権と闘っていた全ての反政府野党を束ねるイスラム統一党の党首であり、思想的リーダーです。日本人を拉致したナマンガニーにとって、かつての精神的指導者に当たります。そこでヌリ党首に、なんとかナマンガニーを説得してもらえないかと考えてのことでした。

さて、ヌリ党首の事務所が入っている建物に着き玄関の石段を上っていた時でした。

黒い塊のような集団が靴音をたてて押し寄せてきました。見るとマシンガンを小脇に抱えたものものしい集団です。周りにいた人々は一斉に姿を隠しました。私達も一瞬その風圧で弾き飛ばされそうになりましたが、自分達はこの客人のはずだからと思い直して石段を上りきって静かに向き直ると、その集団の中央にムスリムの聖職者の民族衣装を着た大柄な人物の姿がありました。「あの方がヌリさんに違いない」。正にその人物がヌリ党首でした。

「ヌリイスラム復興党党首は、大衆を惹き付ける指導者であり、ムスリムの人々から崇拝されている人物である。通常は素顔を見せず、周りを多くの人が取り囲み、人を寄せ付けない人物である。そして、交渉を見事にこなすなど多くの面を持った人物である」と聞いていました。

客人として丁重に案内されたのは八畳ほどの小さな部屋でした。ヌリ党首と膝がぶつかるような位置で座りました。高橋参事官がタジク語の通訳をします。この三人を屈強な者達が取り囲みました。静かです。ヌリ党首と話し始めてみると、とても温かな雰囲気になりました。人間臭さすら感じられる方でした。

「日本人が拉致されています。拉致したのはあなたの元部下だと聞きました」と言うと、「何とかして無事に連れ戻さなければねぇ」と、とてもの静かな口調で答えてくれました。とはいっても、ナマンガニーはかつてはヌリ党首の部下でしたが、彼らは和平成立をよしとせず、武器を捨てずに戦闘を続けようとしてヌリ党首のもとを離れたグループです。それが勝手に拉致事件を起こしたのです。

「ナマンガニーを自分が諭したとしても、何処まで信じてくれるかなぁ。困ったなぁ……」「アフガニスタンのヨルダシェフが近いうちにこちらに来るから彼の方が説得出来るかなぁ。でもやはりそれは無理かな？」と、ヌリ党首はどうしたら無事に人質を救出出来るのか、一生懸命考えていました。

シルクロードの話、日本にある古い中央アジアの文物、今の日本の状況など話が広がりました。歴史にも文化にも世界の動静にも詳しく、話は尽きませんでした。

ちょっと太めの体型で、お話し中、何度も民族衣装の前がはだけかけてしまいます。その度に一生懸命かき合わせようとなさるのですが、その様子がとても微笑ましく感じられました。

辞する時「出来る限りのことをするから」と静かに言ってくれました。

無事を祈って

この頃、ドゥシャンベの拉致対策事務所では、拉致された人々の生存を何とか確認しようと苦心していました。十月七日、やっと人質四人を秘密裡に写真とビデオに収めることに成功し、九日にはこの使い捨てカメラとビデオが大使館に届きました。さらに人質になっている日本人からの手紙もありました。これらの貴重な資料は直ちに外務本省に届けることになりました。使い捨てカメラで撮った写真は現像せずに運びましたが、ビデオは本省に送る前に館員達が集まって確認することにしました。

確かに拉致された四人が映し出されていました。生存していました。野戦兵士用の迷彩色の衣服を身に着け、撮影時点を確定するためにカメラを包んでいたキャンディの袋を胸にかざし、しっかりと静かにレンズを見ていました。冷静に状況を見据え、生き延びようとしている様は真剣勝負の武士のようでした。

「犯行グループが『明日までに日本が直接交渉に応じないなら、一人ずつ撃ち殺していく』と言っている」との情報が入ってきたのは、カメラ、ビデオなどを外務本省に送って間もない頃のことでした。

ビデオを見て、「無事で良かった」とほっとしたのも束の間、館内は緊迫した空気に包まれました。ビデオに映っていた姿が目に焼き付いてしまい「まだ大丈夫だろうか？」「無事だろうか？」と、夜も昼も、四六時中その映像が脳裏にこびりついて離れません。一緒に映像を見た大使館員の中には、「僕、眠れませんよ」と訴える者も出てきました。皆本当に辛い思い、やり切れない思いに襲われていました。

高橋参事官も必死でした。日本人を殺害するとの連絡を受け、「殺害だけは絶対にしてはならない」と懇願しました。日本側の動きの鈍さに危うい時が流れましたが、犯人グループの中で「日本の友人に対し顔向けが出来なくなるから」との意見が通り、その場を暫しつなぐことが出来たとの報告が届きました。「無事に救出出来る可能性が一％でもあるなら、『救出する』という一点に絞って動きましょう」と高橋参事官と電話で話しました。いろいろな意味で極めて困難な状況に追い込まれていました。

それまでにキルギスからの使者がナマンガニー・グループと接触しようとしたこともありましたが、ナマンガニーは全く信用せず相手にしませんでした。このような状況でしたから、交渉を何の関わりも持たないキルギス政府に全て任せた場合、ナマンガニーを説得出来ないことは明らかでした。タジキスタンの関係者と打ち合わせながら、直接相手側と連絡を取り説得を重ねる状況が続きました。無事救出を考えればそうせざるを得ませんでした。

情報収集の範囲を超えるこのような動きは、必ずしも外務本省の指示と一致するものではありませんでしたが、日本人を拉致している野戦指揮官ナマンガニーに対して影響力を持たないキルギス政府に救出も責任も全て任せること自体、責任を問われるものだと考えていました。

イリジウム電話

この事件で思っていた以上に活躍したのが日本から持って行った二台のイリジウム電話でした。着任後直ぐに大使館の屋根にアンテナを張り、イリジウム電話を設置しました。もう一台はいつも手元に携行していました。拉致事件発生後タジキスタンの拠点には、大使館に備えられていた通信機器インマルサットを設置しましたので、タジキスタンとウズベキスタン間の秘密を要する重要な連絡はインマルサットとイリジウム電話の交信で行いました。イリジウム電話は小型アンテナさえ持っていれば、そして上空に向けて空間があれば、その携帯受話器を通して何時でも何処とでも会話が出来ました。

よく、青空や星空が広がる公邸の庭で小さなプールの縁に腰掛けて電話をしていましたが、公邸のスタッフもそれとなく分かっていたのでしょう、いつも遠くから静かに見守ってくれていました。

携帯電話では国境を越えての会話は通じませんでしたが、車で移動中もこのイリジウム電話は役に立ちました。ウズベキスタンの首都タシケントと国境を越えたタジキスタン北部の街ホジェントの行き帰りの道中でも車の屋根にアンテナを置き、車中からタシケントやドゥシャンベの関係者と打ち合わせをし、考え方の調整をすることが出来ました。

日本との連絡も秘密にしたい時はイリジウム電話を使いました。人質の命の取引が進む緊迫した状況の中、十月十五日、タシケントからホジェントに向かう車の中で、東郷和彦欧州局長（当時）から、「交渉の場をビシュケクからドゥシャンベに移すよう一生懸命頑張ったが外務省内を説得出来ない。孤立した状態になってしまった」と言う残念な状況の報告を受けたのもこの電話でした。

夫中山との会話も秘密を保たなければならない時にはこのイリジウム電話を使いました。日本人拉致事件について全てを相談したいと思いながらそうもいかず、もどかしい思いをしながらの会話が続きましたが、状況を察してくれていたのでしょう、「一％でも二％でも救出出来る可能性があれば、出来ることは全てやってみるべきだ」と励ましてくれました。困難な状況のなかで、犯人グループが「日本政府が交渉の正面に出てこないなら、明日から人質を一人ずつ殺す」と伝えてきた時には、ほかに相談出来る人もなく、最も信頼出来る相手として中山を選びました。ホジェント市の空港でタジキスタンの首都ドゥシャンベ行きの便の出発を待つ間に、「大変困っている。外務省は全く方針を変えない。どうしたらいいだろう」と相談したのもイリジウム電話でした。中山は電話の向こうで、「外務本省が何と言おうと日本人の命を守ることが第一だ。それが大使の役目だろう」と言ってくれました。日本に理解者がいてくれることは誠に心強いことでした。

電話といえば、日本とウズベキスタンでは四時間の時差があるので、受ける中山にしてみれば大変だったことでしょう。考えあぐねて電話をするのは大体午後十時頃でした。その時の日本時間は午前二時頃、すっかり寝入っている時間です。それでも朝までに考えをまとめておかなければならない時には、「もう寝ているかな。悪いなぁ」と思いながらも電話を入れました。

案の定、事件が解決した後、「あの時は寝不足になって大変だった。でも、『犯人達が明日から人質を一人ずつ殺すと言っている。どうしたらいいだろう』とかけてきた電話は、さすがに君の声も悲鳴に聞こえたよ」と笑っていました。あの当時、電話をしながら素直に感謝の気持ちを持つことが出来ました。職場結婚して以来、大蔵省（現財務省）の職員としてそれぞれに仕事を続けてきましたし、中山が衆議院議員になってからもそれぞれ独立して生きてきたようなところがありました。とりたてて夫婦だということを意識したこともなかったような気がします。平穏な日常が流れている時はそんなものなのかもしれません。日本を出る時に買っていったイリジウム電話が、外務省や関係者との公的な連絡のみならず、夫との信頼関係の再確認にも役立ってくれました。

日本人救出

拉致された日本人四人と通訳一人の計五人が救出されたのは、一九九九年十月二十五日、事件発生から六十四日ぶりのことでした。キルギス軍の関係者二名は既に解放され、残っていたのは四人の日本人とキルギス人通訳の計五人だけでした。

この五人の無事救出は、この地域の人々と深い交友関係で結ばれ広い友人ネットワークを持ち信頼を勝ち得ていた一人の人物、ウズベキスタン大使館の高橋参事官がいたからこそ出来たことでした。そして彼とその仲間が、冷静に誠実にナマンガニーのグループと渡りあったからこそ解決出来たものです。高橋参事官の存在がなければ、無事救出など到底無理だったことでしょう。

その日の午前零時頃、ナマンガニーは人質をタジキスタン北部の山中で解放しました。タジキスタンでの解放に備えてドゥシャンベにある国連事務所が医務官を手配するなど受け入れの準備をし、またウズベキスタンに運ぶことも考慮して、ウズベキスタン政府と病院や移動のための手配などを打ち合わせ、あらゆる準備を整えていました。

しかしこの事件について、日本政府は当初からキルギスに全てを任せるとの方針を採っていましたので、日本政府の強い要請により、五人はキルギスで解放されたこととするため一旦キルギスへ運ばれ、キルギス政府から日本に渡されることになりました。五人はタジキスタンの山を越えてキルギス南部のカラムイクまで歩き、そこからヘリコプターでバトケンに移送され、さらに軍用機でキルギスの首都ビシュケクに向かいました。報道陣もキルギスで待ち構えていました。

いずれにしても四人の日本人とキルギス人通訳が無事に救出されればそれで良かったのですから日本向けにはこの方針で良いだろうと思いましたし、館員達も一応それで納得してくれました。

しかし、中央アジアの人々に対してはこのような「茶番劇」は通用しません。中央アジアの人々はこの拉致事件の解決がどのように進められたかについて当然のことながら大変よく分かっていました。従って日本政府としても、人質解放に当たって実際に力があったのはタジキスタン政府とタジキスタンの関係者であり、ウズベキスタン政府の協力があったればこそだということをしっかり認識する必要がありました。さもないとその後、中央アジアの国々との交流に当たり、とんちんかんな誤った対応をする恐れがありました。有難いことに、日本の中でも森前総理はじめ主だった方々がこのような経緯、実際の動きを理解してくださっていましたので、お陰様でその後も中央アジアの国々とは何とか信頼を保ち、相互理解を深める関係がつくられています。

白い綿花の畑にて

タジキスタンの首都ドゥシャンベのダーチャ（政府の迎賓館）の一室に陣取り黙々と仕事をしてきたウズベキスタン大使館員達は、最終的な人質解放の結果を待つのみとなった時、人質の無事を我が眼で見ることもなくひっそりとドゥシャンベを離れることになりました。

いつもの通りドゥシャンベから四十人乗りのヤクー・ソーラック機でホジェントまで飛び、ホジェントから車を連ねて国境を越えました。館員達は後は四人の無事救出を待つだけ、やれることは全てやり終えたという気持ちとともに、使い捨てのごとくに扱われることへの割り切れなさも残っていたことでしょう。覚悟の上のこととはいえ虚脱感に襲われていました。口数も少なく黙りこくっていました。「これが仕事」と考えるしかない寂しさとでも言えましょうか。

タジキスタンとウズベキスタンの国境を越える頃から、綿畑が真っ白に輝いて果てしなく広がっている景色が目に飛び込んできました。綿花の収穫の時期になっていました。枯れたような渋いこげ茶色の灌木に、手のひらに収まるほどの大きさの真っ白な綿の花がふわっと浮くように載っています。太陽の光を受けて銀色に輝きます。その白の広がりが全ての思いを吸い取ってくれるかもしれないと思えるほどでした。

道路の端に車を止めて綿畑に入りました。胸の高さまで綿の海に入ったようです。綿畑の白い海が、荒々しく、でも優しく、悲しさや寂しさ、空しさを全て包み込んでくれました。同行していた館員達も綿畑に飛び込んでいました。

遠くあちらこちらに色とりどりの小さな影が動くのが見えます。綿摘みに励む娘さん達です。この時期一カ月ほど、学校や大学から大勢の学生達が綿摘みに参加します。大規模農場では大きな綿摘みトラクターが活動していますが、まだまだ人海戦術で綿を摘む農場

綿の花

が多く、綿生産にとって学生達は欠かせない存在です。

ぽこっとした綿の花を手にタシケントに戻り、タジキスタンの関係者と連絡を取りながら、五人が解放されるのを今か今かと待ちました。

野戦指揮官達の説得

この人質解放のくだりはその後、タジキスタンの関係者達から詳しく聞かされました。「日本人を拉致したナマンガニー・グループを百四十もの野戦騎士団が取り囲み、三日三晩かけて説得し、やっと解放出来た」と、皆ほっとした表情で嬉しそうに話してくれました。

タジキスタン共和国のラフモノフ大統領は、信頼する部下に特命を与えナマンガニーと交渉させていましたが、十月中旬、全ての閣僚を集めその前で、イスラム統一党のミルゾー非常事態大臣に対し、「貴方がもしナマンガニーから日本人達を取り戻せなかったら、貴方が国際的テロリストだ、と国際社会に向けて宣言する」と言い放ったそうです。後に外務大臣や閣僚達から聞いた話です。

ヌリ党首が聖職者でイスラム統一党の精神面のリーダーであるのに対し、ミルゾー大臣は武装面のリーダーでした。今は剃り落としてしまったそうですが、当時は胸まで届く長い顎鬚を蓄え、逞しく均整の取れた体格のとてもハンサムな方です。まだ四十歳前後だったでしょうか。ミルゾー大臣は高橋参事官の信頼する友人でしたし、ナマンガニーはもともとミルゾー大臣の配下でありミルゾー大臣を師と仰ぐ野戦指揮官でしたから、ミルゾー大臣は事件が発生した当初、自分の立場が危険に晒されることも顧みずナマンガニーと接触し、説得に当たってくれていました。

ミルゾー大臣は、ラフモノフ大統領からの指示を受け、決意を新たに自らナマンガニー・グループが潜んでいた山岳地帯カラテギン渓谷のタジカバードに赴き、ナマンガニーの説得に乗り出しました。ヌリ党首はイスラム統一党の野戦指揮官達に対し、ミルゾー大臣を支援して現場に赴くように指示し、大半のイスラム統一党の野戦指揮官がカラテギン渓谷に集結しナマンガニー・グループを取り囲んだそうです。ここに集まった野戦騎士団の人々は、もともとは共に戦った仲間ですが、それでも随分と時間のかかる説得でした。

ミルゾー大臣はナマンガニーに対し、人質や誘拐はイスラム教徒にとって最も恥ずかしい行為であり、特に聖戦戦士がなすべき行為ではないと説得しました。ミルゾー大臣は、自分は五年間に渡ってタジキスタンで聖戦に従事してきたが、一度も人質や誘拐を行ったことはなく、特に何の関わりもない日本人を人質に取るのは神の教えに反すると説諭しました。さらに、人質に危害を加えたり身代金を取ったりしたら、ナマンガニー・グループはテロリスト・グループであると国際社会から認知されることになり、それはナマンガニー・グループの運動の趣旨から全くかけ離れたものになると説得したとのことでした。

三日三晩、説得に説得を重ねて……。ようやく、ナマンガニーはミルゾー大臣の説得を聞き入れ、事件を起こした犯行グループ全員を無事にアフガニスタンまで送り届けるという約束のもとに人質を解放しました。解放された人質五人は野戦指揮官がキルギスまで移送しました。身代金については、友人関係を金銭で壊したくないからと受け取りを拒否したと聞いています。

日本人解放の後しばらくして、ナマンガニー・グループはバスを連ねてアフガニスタンに向けて移動したそうです。ナマンガニーはタジキスタンを出る時、ミルゾー大臣に別れを告げ、本当はアフガニスタンには行きたくないと涙を流していたと聞きました。米国によるアフガニスタン空爆によりナマンガニーは重傷を負ったとか死亡したとの噂が流れましたが、無事にパキスタン国境に逃れたとの説もあり、その後の行方は今もってはっきりしていません。

大使館員達の涙

拉致された五人がヘリコプターから降りてくる映像は日本でもしばしば流されたそうですのでご記憶の方も多いと思いますが、同じ映像を私達もウズベキスタン大使館の中で見ていました。

以前ビデオでその姿を見ていましたので、館員達は確認するような思いで「あ、大丈夫だった。確実にあの四人がいるし、通訳もいる」とテレビの画面を見つめていました。命に関わるような非常に危険な状況に追い込まれたこともありましたので、四人が揃っていたことが言葉に言い尽くせないほど嬉しかったのです。テレビを食い入るように見つめている若い館員達がボロボロと涙を流しているのが分かりました。張り詰めていた気持ちがほぐれた瞬間だったのでしょう。どれほど真剣に取り組んでいたことか……。

館員達は、人々が寝静まった夜中にタジキスタンの首都ドゥシャンベにいる高橋参事官と連絡を取り打ち合わせを続け、ドゥシャンベへ出かける時もひっそりと出かけていました。ですから、タシケントに住んでいる日本人ですら彼らの懸命な行動を知ることはありませんでした。この事件に取り組み始めた時から、館員達の行為は誰に評価されるものでもない、これでいいのだろうかと、いつも心に申し訳なく思いながら過ごしていました。

事件発生から解決までの約二カ月、昼夜もなく気を緩めずに働き続けていたのですから、元気なアルピニストの山岳誠理事官や若い小岩武史理事官ですら肌のつやがなくなってしまいました。時には立ち上がるとフラーッと倒れそうになる者も見かけました。皆体力と気力を使い切っていました。

しかし館員の誰一人として一言も愚痴を言わず、それどころか「拉致されている人のことを思えば、これぐらい大丈夫ですよ」と言いながら頑張り通しました。その時の若い館員達が、なんと頼もしく見えたことでしょう。彼らのこの頑張りを目にしていましたので、全員無事解放という結果となったことは本当に良かったと思いました。

外国の現場で働く外務省の若い職員達が、日本のために日本の人々のために誠心誠意尽くす様子を身近に見てきました。また赴任国の人々と友好な関係を築こうと懸命に努力している様子を見てきました。時には劣悪な生活環境の中で、時には危険に身を晒しながら黙々と働いています。この目立たない地味な仕事の積み重ねが、各国からの日本への信頼に繋がっていることは言うまでもありません。

感謝の気持ちを伝えに

人質解放後、無事救出への協力に対する感謝の気持ちを伝えるため、まずカリモフ大統領のところに伺いました。カリモフ大統領は「自分に出来ることは全てやってみた。何しろ皆健康で良かった。無事に救出出来たことは本当に喜ばしい。喜びを分かち合いましょう」と事件解決を我がことのように喜んでくださいました。お礼を申し上げましたら、「当然のことをしたまで」と、大統領としてなし得る全てのことをしてくださったにも関わらず、一言で片付けられてしまいました。この事件では大統領だけでなく、外務大臣はじめウズベキスタンの多くの人々にご尽力いただきました。そして全ての方々がただただ無事救出を喜んでくれました。

人質解放後の二日目、十月二十七日には、いつもの道筋で早朝タシケントを発って、タジキスタン共和国のラフモノフ大統領はじめ関係者へのお礼の挨拶に出かけました。この事件はタジキスタンの人々が動かなければ解決出来ないものでした。この時のタジキスタン行きは、問題解決後のリラックスした気分で出向けましたので、心が空《くう》になったような状態で初めてタジキスタンを楽しみました。

まず外務大臣のところに伺って感謝の言葉を述べましたら、「お礼を言われるようなことではありません」との挨拶が返ってきました。ラフモノフ大統領にお会いした時も同じでした。「いや、当たり前のことをしただけだ。無事で良かった」との一言でした。思い切って「いろいろ協力していただきましたから……」と言ってみても、やはり「いや、自分の国の関係者が起こしたことだから。まず無事で良かった」というお答えでした。

この日、大統領官邸に入りましたら、「中山大使、おはようございます」と日本語で声をかけられびっくりしました。NHKと読売新聞の記者の方がそこにいました。この時のNHKの記者はイラクから報道を続けていた出川展恒さんです。報道関係者が全てキルギスに滞在している中、ただ一人、出川記者はこれまでにも時々タシケントに現れてはウズベキスタンの状況を取材し、またキルギスでの様子を伝えてくれました。ドゥシャンベにもよく現れていました。この拉致事件がウズベキスタンとタジキスタンの協力によって解決されたことを理解していてくれた人がいることを知って救われた気分になりました。

『おしん』ファンのヌリ党首

イスラム復興党のヌリ党首へのお礼の挨拶は、タジキスタン政府の車の案内でお住まいへ伺うことになりました。目的地に近づくと政府関係者は「これ以上は行けません」と言って、途中で車を降りてしまいました。さらに少し先まで行くと、今度は運転手が「もうこれ以上進めない」と言って車を止めてしまいました。結局そこからは、私と高橋参事官、笹目賢一郎書記官（当時）の日本人三人で歩いてヌリ党首の家に向かうことになりました。ヌリ党首が常駐している家の周囲には、銃を構えた人々が幾重にも取り囲み警戒に当たっていました。多くの鋭い目がじっとこちらを窺っています。物音一つ立てません。動くものは私達三人の歩みだけです。緊迫した空気が迫ってきます。政府の人々が恐れて近づかないのもなるほどと思いました。

門の中に入ると、そこでも沢山の兵士達が銃を構えてこちらを警戒しています。その中にはまだ幼さが残るような少年達が銃を手にして立っている姿もありました。そんな中を奥へと進みました。ヌリ党首とは午前中に面会の予定でしたが、政府関係者が訪問を怖がったためか、結局、夕方になってしまいました。

ヌリ党首はずっと待っていてくれた様子で、「随分遅くなったね。でもよく来てくれた」という挨拶から始まりました。ヌリ党首がこの拉致問題に真剣に取り組み、一生懸命努力してくれていたことはよく分かっていました。そして救出成功を心から喜んでいることも直ぐに感じ取れました。お礼を申し上げましたら、「本当に良かった。自分のしたことなどあなたの感謝の言葉に値しないことです」との答えが返ってきました。

ヌリ党首とは、拉致された日本人の無事救出のお礼のほかにも多くのことを語り合いました。非常によく日本のことをご存じで、「日本は、自分達の文化を保ちながら近代化を遂げた理想の国です。ぜひ見習っていきたい」とおっしゃっていました。驚いたことにヌリ党首は『おしん』をイランで見たことがあり、ファンだといいます。

この時、国際交流基金による中央アジアでの『おしん』のテレビ放映を実現したいと考えました。タジク語はペルシャ語に近いのでペルシャ語版からタジク語への吹き替えを要請していましたが、先日聞きましたら、イランで放映されたペルシャ語版の『おしん』が、タジキスタンでもそのまま放映されたとのことでした。タジキスタンの人々に喜んでもらえたと確信しています。

『おしん』放映は、タジキスタンより先に二〇〇一年にウズベキスタンで実現しました。英語版からウズベク語への吹き替えでしたが、『おしん』の放映時間には女性達が何を置いても家に戻るといわれるほど高い人気でした。

その後ヌリ党首にはお会いしていませんが、タジキスタン関係の報道で時々お名前を見る度に、お元気なのだと安心しながら懐しく思い出しています。

品格ある人々

ウズベキスタンでもタジキスタンでも、人質の無事救出について感謝の気持ちを伝えた時、応じられた態度は皆すがすがしく印象的でした。

どなたとお会いしても、お礼を述べた時の対応は同じでした。

ある方は「無事で良かった」と言い、ある方は「人道上当然のことです」とそっけなく答えました。「自国に人質がいることは恥ずかしいことです。無事で良かった」と答える方もいました。多くの場合「感謝されるようなことではない。自分達のしたことは当たり前のことだ」との答えが返ってきました。

お礼の訪問に際して、日本側からは「今回の件では十分に働いたからと、いろいろ要求を出してくる可能性があるが、その場では受けないようにしてください」と言われていました。ほかの国では褒賞要請リストが出されているからとのことでした。しかし、実際には全く違う応対でした。一瞬でもそんな要求があるのかもしれないと考えたことが恥ずかしく、ウズベキスタンやタジキスタンの人々のことを全く分かっていない、見誤ってはいけないと自分を厳しく戒めました。

当時、日本では中央アジアの人々が日本人人質解放のために働くのはお礼を求めてのことだと報道されていたと聞きました。とんでもないことです。日本人解放に努力したことをお金のためではないかと考えたとしたら、それはウズベキスタンやタジキスタンの人々に大変失礼なことです。決して「日本人救出で協力したのだから、何かしてほしい」などと言う人々ではありませんでした。お会いした方々の誰一人としてそのような考えを持っていませんでした。全く念頭になかったと思います。日本でもこのような事件が起きて解決出来たとしたら、日本人はやはり同じように「感謝されるようなことではない。当たり前のことをしたまで」と答えることでしょう。同じなのです。

ウズベキスタンの人々もタジキスタンの人々もとても素朴で仁義に厚く、自分達の国を健全で豊かな国にしようと一生懸命努力しています。このウズベキスタンとタジキスタンでの感謝言上は、それぞれ大層印象深いものとなりました。

昨年春のことですが、外務省の若い方にこの話をしましたら、「この国々には品格がありますよね。日本の外交に品格があるかどうか……」とぽつんと呟きました。この言葉を聞いた時、その言葉をそのまま凍らせることが出来るなら凍らせて残しておきたいと思うほど、とても嬉しくなりました。

正にそうです。品格があるのです。経済的にはまだ開発途上ですが、自分達の民族に誇りを持っています。文化の水準は高く、しかも他の文化を尊重し受け入れる余裕もあります。日本が失いつつある貴重なものが中央アジアの国々には存在しています。

そしてこの若い外交官が日本の外交を品格という基準でも見つめていることを知ったこともとても嬉しくて、「そうですね」と答えながら、つい顔がほころんでしまいました。

第三章

ウズベキスタンの暮し

ウズベキスタン共和国が独立を宣言したのは一九九一年八月三十一日。独立して今年で十四年経ちました。共産主義を捨て去り、社会の民主化、経済の自由化を図ろうとしています。社会基盤の整備など行わなければならないことが多くあり、経済的には決して豊かな国とは言えませんが、ウズベキスタンの地には三千年、四千年という長い歴史があり、豊かな文化が根付いています。そして現在、カリモフ大統領を中心に、政府はもとより教育に携わっている人々、文化関係者、経済関係者など多くの人々が国家を安定させ、国民の生活を少しでも豊かにしようと一生懸命働いています。一部にイスラム原理主義の国を創るべしといった過激な動きもありますが、一般の人々は現実的なものの考え方をしており、宗教国家ではない、いわゆる世俗国家の政策を支持しています。

政府の中枢にいる人々は夜遅くまで土日もいとわず働いています。夕食会や記念行事に政府の方々をお招きしても、顔だけは出しますが十分か十五分もするとまた職場に帰って行きます。学生達も欧米や世界の文物から多くのことを学び取ろうと一生懸命です。その目はきらきらしています。まるで伝え聞く明治維新か戦後の日本のようです。

政府中枢の人々に限らず、市役所など地方の役所に勤務する人々も頑張っています。ある市役所の課長さんに「夏休みは取りましたか？」と尋ねましたら、「今は長い休みを取ることは出来ません。でも今自分達が一生懸命働いたら、きっと子供達は一週間位の夏休みが取れるようになるでしょうし、孫達は二週間の夏休みが取れるかもしれない。そのために自分達は働かないといけないのです」と、少し恥ずかしそうに答えました。失礼な質問をしてしまったと反省しました。

街の人々は、「独立して良かった。独立前とは全然違う。以前は密告されることがあったので、迂闊なことは口に出来なかった。今は政府の悪口も平気で言える」と、嬉しそうにちょっと首をすくめながら話してくれました。

そうは言っても、社会主義国家から一気に日本のような全て自由な社会に飛躍出来

タシケントの独立広場で
毎年開催される独立を祝う祭典

るものではありません。現在、社会の近代化、経済の自由化がウズベキスタンの抱える重要課題です。二〇〇二年六月にベルリンで開催されたＮＩＲＡ（総合研究開発機構）の中央アジア・シンポジウムの席で若い研究者が、「大統領から、人権について勉強し、より多くの人々に人権が大切であると伝えるようにと言われている」と話しているのを聞きながら、人権の概念が社会の中に定着する日もそう遠くないだろうと思いました。

経済の自由化については、隣国アフガニスタンの動向や国際的なテロの脅威の下で進められていますので、その歩みは非常に遅々としたものですが、漸進的に確実に進んでいると見ています。

さらに印象深いことは、ソ連時代に抑えつけられていた自国の文化・歴史を改めて見直し、誇りを持って進もうとしていることです。このモデルが日本です。日本は自国の文化を大切に維持しながら近代化を遂げた。日本の国のようになりたい。日本のことなら何でも知りたい。日本に留学したい。多くの人々がそう考えています。

ウズベキスタンの休日

1月 1日	新年
3月 8日	女性の日
3月21日	ナブルーズ（元旦）
5月 9日	記念の日
9月 1日	独立記念日
12月 8日	憲法の日
12月31日	大晦日

年の名前　ウズベキスタンでは97年以来、年ごとに名称を定め、その年のテーマにしています。

1997年	人間の年
1998年	家族の年
1999年	女性の年
2000年	健全な若者の年
2001年	母と子の年
2002年	敬老の年
2003年	マハラの年
2004年	善意と福祉の年
2005年	健康の年

伝統的な地域社会　マハラ

ウズベキスタンの人々と接する時いつも感じるのは、相手を思いやる心を皆が持っているということです。勤務先に訪ねても迷惑にならないだろうか、今電話しても邪魔にならないだろうかと、相手の都合をまず考えます。そして遠慮します。また、困っている時はお互い様だから助け合うというのがウズベクの人々の昔からのしきたりです。食べ物なども分かち合います。たとえ物が少ししかない時でも分け合います。ウズベク人の間では、今も日本の社会と同じようなお互いを思いやる心が大切にされています。

仕事の場ではソ連時代の名残があってぶっきらぼうな対応に出会うことがありますが、ウズベク人の普段の生活の中では相手のことを思いやることはごく当たり前のことです。農耕民族としての古い歴史がこのような社会をつくってきたのでしょうか。

ウズベク人社会の基礎にあるのが、日本の町内会のようなマハラという共同体です。行政の単位ではありません。それぞれのマハラには世話役の長老がいて、マハラの中のことは全て知っています。何処そこの家の娘が勤めに出た、あそこの息子が学校に入った、結婚した、子供が生まれた、会社を辞めた、あそこの家が今困っているなど、長老はよく分かっていて、長老の話を聞きながら、マハラ全体で助け合って暮らしています。

例えば誰かが職を失うと、仕事が見つかるまでその人はマハラの中の仕事をします。マハラの中で、じゃあちょっと畑仕事を手伝ってくれとか、あそこの家の奥さんが働きに出るからその家の中のことを手伝ってやってくれ、という形で、仕事を分け合って生きています。いわゆる失業者としての登録は殆どしません。マハラが失業者を吸収するクッションの役目を果たしており、従ってウズベキスタンの失業率は大変低いものとなります。

また、ウズベキスタンでは社会全体で子供達を見守っています。核家族化が進んでいませんので、マハラでは一軒の塀の中に親族が一緒に住んでおり、子供が生まれると親だけではなく、おじいさん、おばあさん、叔父さん、叔母さんなど多くの目が子供達の動きを見ています。子供は幼い頃から人としての躾を周りの大人達から学びます。年長者を大切にしなければいけない、嘘をついてはいけない、騙してはいけない、物を盗んではいけない、人を傷つけてはいけない、人を殺めてはいけないといった基本的な事柄をマハラの中の日常生活を通じて教え込まれます。

街の中でも悪いことをしていれば、自分の子供でなくても見かけた大人は声をかけ叱っています。ウズベキスタンの子供達は、沢山の目に見守られながら、安心出来る環境の中で育てられているからでしょうか、誰に対しても怖がらず、溌剌と接してきます。

世代間の断絶もそれほど感じられません。高齢者が積極的に子育てに参加しており、子供達の面倒を見ている高齢者の姿を見かけるのはごく日常的なことですし、子供達もそんなおじいさん、おばあさんのことを素直に慕っています。

マハラは近代都市タシケント市の中にも存在します。以前英国大使をなさった方の奥様からマハラの表彰式へのお招きを受けたことがあります。秋も終わりの頃でした。この一年、マハラで最も美しい庭を造った人（大使の奥様がこの表彰を受けました）、この一年最も良いお姑さんだった人、最も良いお嫁さんだった人など、身近なことで、そのマハラの人々が表彰されていました。伝統的な音楽や踊りも加わって楽しいひと時でした。

日本大使公邸もマハラに属しており、ご近所付き合いをしています。この役目はもっぱらウズベク人のアンバールさんが引き受けてくれていました。アンバールさんは自分の住むマハラの長老ですので、この辺の呼吸はお任せでした。

ある朝、お休みの日だったと思います、警備の者が「マハラの長老が玄関に見えています」と言うので出てみると、バラの花を一輪手にして

ウズベキスタンの人々は、日本人と同じようによくお茶を飲みます。お茶請けはナッツ類やドライフルーツ

いました。「マハラのお祝いの日で女性に一輪ずつバラの花を贈っているので、大使にも」とのことでした。その後何度かバラの花をいただきました。誕生日にも花が届きましたし、離任でタシケントを離れる時にも長老が赤いバラの花を届けてくれました。

高齢者を大切にする社会

ウズベク人の社会が穏やかに感じられる理由の一つは、高齢者を大切にしているということであろうと考えています。マハラの中では物事を決めるに当たって、長老の意見が最も尊重されますし、長老が自信をもってマハラを束ねています。そしてマハラだけでなく一般の社会でも、高齢者は尊敬され大切にされています。高齢者の方々も自身の意見をしっかりと述べ、その役割を果たしています。

実際に目にした訳ではありませんが、バスや地下鉄でお年寄りが乗ってくれば若い人は当然席を立ち、お年寄りも当たり前のこととしてそこに腰を掛けると聞きました。日本に留学した学生が、「日本で電車に乗り、お年寄りが目の前に立ったので席を立ち譲ったら、周りからじろじろ眺められ気まずくなって隣の車両に移りました。ウズベキスタンでは当たり前のことですし、日本でも同じと聞いていたので困りました」と話してくれました。何とも答えようがありませんでした。

もっとも高齢者という時、ウズベキスタンの平均寿命は六十七歳（二〇〇二年世界銀行）で、六十歳を超えるとお年寄りと考えられていますので、日本の年齢感とは随分違っています。ウズベキスタンの人口統計は平たいピラミッド型をしており、平均年齢は二十四歳、二十九歳以下が人口の七〇％、十四歳以下が人口の四一％を占めています（二〇〇一年ウズベキスタン政府推計）。出生率は二・三五（二〇〇二年世界銀行）です。

ロシア語の個人レッスンを受けていた女性の先生が、「大使は決して年齢を公表してはいけません。皆びっくりすると思います。六十歳を過ぎてまだ公の場で働いているのは何と言っていいか分りません」と忠告してくれたことがありました。年をとったら、家族の中で子供や孫に囲まれてゆっくりと過ごすのが当たり前のようでした。

高齢者が大切にされている社会は心地良い社会と言えます。弱肉強食ではない社会です。弱い者への温かな目があります。極めて効率的とは言えない社会かもしれませんが、効率を超える心の豊かさがあります。無駄を排して効率性だけを追い求める社会は住みにくいものです。日本の社会が失ってしまいそうな大切なものがウズベキスタンには残っていると思い、ほっとした気持ちになりました。

カナリア

日本人拉致事件で切迫した日々を過ごしていた時、ふっと「何か生きているものを飼いたいな」という思いが湧いてきました。タジキスタンから帰宅したある日、プライベートの運転手であるロシア人のセルゲイさんに相談したら、直ぐに気持ちを察してくれたのでしょう「いいですよ。みんなで一生懸命育てますから大丈夫ですよ」と言ってくれました。公邸のスタッフで何を飼うか相談し、候補に挙がったのがカナリアでした。ウズベキスタンではカナリアは非常に人気があり、鳴き声コンクールなども盛んに行われています。

さっそく翌日、動物バザールに行って、淡いピンク色、クリーム色、白色など羽の色の美しいカナリアを六羽買いました。全てオスのカナリアです。一つの大きな籠に入れたら直ぐけんかになってしまい、一羽に一つずつ籠を買い求めました。

帰り際にカナリアの売主が「自宅にくればもっといいカナリアがいる」と言うので、夕方、その家までカナリア屋さんの車の後について案内してもらうことになりました。タシケント市の検問所を出てタシケント市の郊外にその家はありました。薄茶色の長い塀が続き、周りはのどかな畑が囲んでいました。小さな、でもしっかりした門を入るとそこにはいくつかの家族が住んでおり、一族が暮らす住居が中庭に面して取り囲むように並んでいました。広々とした中庭の中央には葡萄棚が陣取り、いろいろな野菜や花々がそれほど整然とはせずに植えられていました。

ウズベキスタンの古い家々は何の面白味もない薄茶色の土の塀で囲まれ、道路から見るといかにも貧しげな風情です。しかし小さな門を一歩入ると、そこにはびっくりするほど豊かな世界が広がっています。これまで何度も侵略された歴史のせいなのでしょうか、税金対策なのでしょうか、単に泥棒対策かもしれません。

引き戸のガラス戸を開けて「どうぞお上がりください」と言われ、大きな平らな石の上に靴を脱ぎ、一間（約一・八メートル）ほどの板の間を通って二階に招き入れられました。まるで昔子供の頃住んでいた田舎の家に戻ったようでした。あの縁側は日当たりが良くて気持ちいいところだったなぁ、隅にミシンが置いてあったっけ、などと懐かしい気分でした。二階の部屋の床には絨毯が敷かれ、中央に大きなちゃぶ台が置いてありました。挨拶がすむと奥様や娘さん達がお茶を出してくれました。ウズベキスタンでは何処へ行ってもお茶が出てきます。中国産のようですが、朝から晩までお茶を飲んでおしゃべりなどしています。ちゃぶ台の前にぺたっと座ってカナリアの話を聞きました。

この家の生活は全てカナリアで成り立っているそうで、カナリアの飼育と歌の指導は長兄の方の役割で、動物バザールでカナリアを売っていたのは弟の方でした。

数羽のカナリアを見せてもらいながらその苦労話を聞きました。中から十五曲の歌を歌える一歳になったばかりの兄弟のカナリア二羽を買い求めました。黒っぽい羽をしており昼間手に入れた美しい羽のカナリアと同じ種類の鳥とは思えないほどでしたが、これは原種の証拠で美しい声はこの種にはかなわないとのことでした。

商談成立後、歌の指導部屋を見せてもらいました。壁一面に小さな引き出しが沢山付いた日本の箪笥のようなものが置いてあり、その引き出しの扉を開けると一つ一つの小部屋にカナリアが一羽ずつ入っていました。小部屋の裏には美しい声の先生カナリアのテープが備え付けられており、毎日数時間、訓練するのだそうです。生徒カナリアが間違えると長兄の方が細い長い鞭で指摘をし、叱るのだそうです。数が多いので大変手間がかかるとのことでした。生後二、三カ月目から一年ほどもかけて仕込みますが、鳴き声コンクールに出場出来るのはその中から選ばれた限られた数のみだそうです。このようにして仕上げたカナリアが生活の糧になっていて、「この家も子供の教育も全てカナリアのお陰です」と言っていました。

公邸では、翌朝早くからカナリアの鳴き声がいっぱいに響き渡るようになりました。お店の人が太鼓判を押しただけのことはあって、八羽ともさすがに美しい声の持ち主でした。公邸のスタッフ達は大使公邸の新しい住民となったカナリアを大歓迎し、えさの種類はどうするとか水はどうするといったことなどを相談し、カナリアを大切に飼育しました。

日本への帰国が決まった時、「このカナリア達も日本に連れていきますか？」と聞かれて「ここで誰かに引き取ってもらえないだろうか」と答えましたら、嬉しそうに「それでは皆で大事に育てます」とのことでした。その日、帰宅した時には一羽ももう公邸にはいませんでした。カナリア達は今は公邸スタッフのそれぞれの家で美しい声で囀っていることでしょう。

美しい声で囀っていたカナリア

結婚式

何度か結婚式に招かれました。殆どの結婚式が近代的なものになっていて、大きなホテルやレストランで開かれています。人前結婚というのでしょうか、ホールの中央で市役所に勤務する威厳に満ちた方が結婚の儀式を行います。結婚が正式に成立したことが宣言され、そのまま披露宴に移ります。

ホールの奥の雛壇に新郎新婦が、日本とは逆で向かって右に新郎、左に新婦が並び、既婚の親しい友人や知人が数人ずつ付き添い人として新郎新婦の後ろや横の雛壇上の席に着きます。この付き添い人は仲人役でしょうが夫婦とは限らないようです。

司会者の指名で多くは年配の人がお祝いを述べ、直ぐに賑やかな音楽が始まります。有名な楽団が呼ばれていることが多く、演奏が始まると女性達が次から次へと出てきて踊り始めます。男性も加わります。子供達も出てきて一緒に踊ります。新郎側と新婦側の席の中央に広い空間があり、踊りの輪がいくつも出来ます。踊りは子供

直ぐに踊りの輪が出来ます

の頃から生活の中に組み込まれているようで、誰でも身に付いているようです。太っている人も、勿論お年寄りも、しっかりリズムを刻んで踊っています。皆、素晴らしい踊り手です。昔は結婚相手の条件として、踊りの上手下手が決め手の一つだったのだそうです。

踊っている人々の手に周りから紙幣が振る舞われます。楽団への謝礼に当てられるとのことでした。

音楽の合間に司会者が指名し、紹介があって、お祝いの言葉が述べられます。恩師や親戚の代表者などが多いようで、この辺りは日本の結婚披露宴とよく似ています。

しばらくすると新郎新婦が中央に出て踊り始めました。隣の席の女性が「一緒に踊りましょう」と誘うものですから、少し恥ずかしいと思いましたが勇気を出して輪の中に入り踊りました。踊りだしてみると徳島の阿波踊りとリズムが似ています。嬉しくなりました。四国で財務局長をしていた頃「連《れん》」に入れてもらって街を踊り歩いたことを思い出し、阿波踊りのリズムで踊りました。

宴は真夜中まで続くとのことでした。途中で失礼しましたが、ウズベクの人々の中に入って少しも違和感を感じないひと時でした。楽しいリズムと柔らかな踊りが生活の中に溶け込んでいる社会に出会って、言いようのない懐かしさと何故か哀しさを感じるひと時でした。

勿論伝統的な結婚式をあげる人々もまだまだ多くいます。ウズベキスタンでは恋愛結婚も増えてきてはいますが、今でも結婚は親同士が決めることが多いそうです。恋愛結婚でも親の了解を得ることが必須とのことでした。

伝統的な結婚式では、男性がお嫁さんをもらいに行き連れて来ることが基本です。祝宴が花嫁さんの実家で一晩、花婿さんの家で三日三晩続くという話を聞きました。しきたりがいくつもあり、例えば、花嫁さんを連れ出す時、その足を踏むことが出来れば将来お嫁さんの尻に敷かれないなどといわれています。

ＪＥＴＲＯ（日本貿易振興機構）事務所長の下社学さん、敦子さんの結婚式は純然たるウズベク様式に則って行われました。衣装も儀式もウズベク風で印象深い結婚式でした。後日「花嫁さんの足を踏みましたか」と尋ねましたら、「えぇ何とか踏めました」との答えでした。

ラマダン明けには女性だけが集まる会「ケリンハイト」が開かれます。「ハイト」はラマダン明けのイスラムの祭りで、「ケリン」は「姫」という意味です。その年に結婚した女性が無事に過ごしていることをお披露目し、皆で祝います。女性は深々としたお辞儀の挨拶をします

お葬式

お葬式はイスラムの儀式で行われます。ウズベク人の家庭では末っ子が親と一緒に住む習慣ですので、親が亡くなった時には末っ子が喪主となりその家が葬儀の場となります。喪主は三日間ウズベクの伝統的な衣装を着て喪に服します。一日目、二日目に親戚の者をはじめ多くの知人友人がお悔やみに訪れ、三日目に男性だけが埋葬に向かいます。生花を出すことはありません。細かなしきたりがあるようですが、お悔やみに訪れても悲しみの中では詳しいことは聞き取れませんでした。

ウズベキスタンの伝統料理

プロフ

ウズベキスタンの伝統料理といえば、なんといってもプロフでしょう。お米を大きな鍋で、綿の油や羊の油でゆっくりと時間をかけて炊き上げていき、干しブドウ、黄色いニンジン、タマネギ、羊の肉などを加えてサフランで味付けをした料理です。ウズベキスタンの人々の主食です。プロフは昔から、その家の主が作ると決まっているそうで、味付けは家庭ごとに違います。プロフは全ての料理の最後に出されます。

ある時、カザフスタンの人が家にウズベク人を招き盛大にもてなしました。幾皿もの料理を出しましたがウズベク人は一向に帰ろうとしません。さらに料理を追加しますがそれでも席を立ちません。ウズベク人はプロフが出ないと食事が終わったと思わないのです。カザフスタンの人はウズベク人がプロフが出るのを待っているとやっと気が付き、プロフを出したらウズベク人は喜んで食べて帰って行った。こんな笑い話が伝えられています。

プロフ料理の起源について次のような話が伝えられています。政府の方から聞いた

プロフはウズベキスタンを代表する料理

話です。十四世紀にチムール朝を創設した英雄アムール・チムールが、料理人に「遠征に出る時、兵士が三日三晩走り続けても耐えられるような料理を作るように」と命じました。料理人は、馬を走らせながら食べることが出来、遠征の中で敵と十分な力で闘うことの出来る栄養豊富な料理を工夫して作り出しました。それがプロフです。

結婚式には大皿に盛ったプロフが出されます。隣り合う席の二人が一つの大皿から一緒に食べる習慣です。お葬式のプロフもあり、結婚式のプロフやお葬式のプロフには加えられる野菜に決まりがあり、それぞれ特有の味付けがしてあります。

午前五時頃に男性だけが集まってプロ

フを食べる「朝のプロフ」や「午後三時のプロフ」は、法事や内輪の祝いに当たる集まりです。数十人もの男性達が家の前に集まって立ち話などしている光景を車の窓からよく見かけました。

ラグマン

代表的な料理として、ラグマンがあります。トマトベースの赤いスープの中に日本の手打ちうどんそっくりの麺と野菜や羊肉が入り、味はサラッとしています。ラグマンに出会った時は心の底から嬉しくなりました。醤油味ではありませんが「うどん」そのものです。

また麺の生地と肉（普通は馬の肉）で作られる**ノリン**も味わい深い料理です。結婚式などでもよく出されます。

シャシリク

シャシリクは羊や牛の肉を串刺しにして、香ばしいスパイスで味付けしたもので、タマネギを細かく刻んだものと一緒に、時には香味野菜も添えていただきます。地域によって大きめの塊の肉だったり、日本の焼き鳥のような小ぶりの串焼きだったりします。

ホレズム地方のやわらかいプロフ

ラグマン

羊の肉を大きな木の葉にくるんで土の中に二、三日埋め、独特の香りをつけた**タンディル・ケバブ**と呼ばれる肉料理があります。スルハンダリア州などウズベキスタン南部特有の料理です。着任当時第一副首相だったバフチョル・ハミードフさんがその後カシカダリア州知事を務めていらした時、その州の山の中でご馳走になった「タンディル・ケバブ」の美味を超える肉料理に未だ出会っておりません。

サムサ

サムサも忘れてはならない料理です。羊のひき肉を使ったパイ包みで、ナンの生地で野菜とひき肉を包み、大きな土釜の内側にペタッとくっつけて焼き上げます。熱いうちに頬張ると、脂身の汁が染み出てとても美味しいものです。

ウズベキスタンでは羊の肉があらゆる料理に使われますが、長い歴史の中で工夫され臭みもなく格別の美味を味わえます。ほかの中央アジアの国々で主客に出されるという「羊の目」といった料理にはお目にかかりませんでした。農耕民族だからなのでしょう。

バザールのサムサ売り

サマルカンドのバザールで売られていたシャシリク

こうした料理と一緒に、香草や、香りの高いトマト、キュウリ、トウガラシなどの野菜が食卓に並び、野菜本来の味が楽しめます。

乳製品

乳製品も豊富です。二十以上の製造プロセスのそれぞれの段階で、ヨーグルトからチーズまで、実にいろいろな種類の乳製品が作られており、あっさりした味から濃厚な味までいろいろ楽しめます。

酒

ウズベキスタンの人々はお酒が大好きです。お客様を招いての歓迎の宴では、主がまず「今日はよく来てくださいました。歓迎します」と挨拶し全員で乾杯します。続いてその場にいる人が順に一言挨拶し全員で乾杯します。

初めてこのような席に招かれた時、沖縄県宮古島の「お通り」を思い出し全く同じだと懐かしさを覚えました。ウズベキスタンではウォッカ、宮古島では泡盛ですが、どちらもとっても強いお酒ですし、宴の雰囲気もとてもよく似ています。お酒の美味しさやもてなし上手な楽しい雰囲

バザールで売られているチーズ
次々と試食させてくれます

色も味も濃い野菜は食卓でも大きな存在感があります

気に加えて「お通り」を思い出したことでさらに嬉しくなり、ついついい沢山いただいてしまいました。でも「もう飲めません」と言うと、それはそれでまた上手に付き合ってくれます。強制してでも飲ませようなどということはまずありません。

出てくるお酒はウォッカやシャンペンやワイン。ワインといっても、フランスワインなどを想像して飲むと、「これはワインではない」ということになるかもしれません。ブドウのお酒といった方がいいでしょうか。ウズベキスタンのブドウは非常に甘いので、ワインも甘くなってしまうのかもしれません。ブドウの産地ウズベキスタンでいつか本格的なワインが作られ、ウズベキスタン・ワインとして世界中に出回ることを楽しみにしています。

バザール

ウズベキスタンでは最近スーパーマーケットが出来始めましたが、デパートなどはまだありませんので、買い物というと街のあちこちにあるバザールに出かけます。バザールにはいつも大勢の人々が集まり、大変賑やかです。

バザールに入ってまず目につくのは果物売り場です。ザクロやブドウ、アンズにイチジク、スイカ、メロンなど、季節の果物が美しく工夫を凝らして積み上げられています。この国の果物は、陽射しが強く、雨が少なく、寒暖の差が大きい気候の中で育つので甘みが凝縮していて豊潤です。

口が大きくはじけ、中から真っ赤な実が溢れそうになっているザクロが山積みになっていると、見ているだけで、何故か人生これでいいやといった満足感が湧いてきます。あの真っ赤な小さな沢山の実は自然の豊かさを強く感じさせるものです。

黄色い小ぶりのイチジクもウズベク人の生活になくてはならない果物です。皮も柔らかく皮ごと食べられます。ウズベキスタン東部、フェルガナ州の古都コカンド市で、市長さんに大きな木の下でお茶をご馳走になった時、市長さんが黄色いイチジクをほおばりながら、「姉が寝込んでしまった時、この黄色いイチジクを無理やり沢山食べさせたらしばらくして元気になりました。身体に良いですから大使も是非召し上がってください」とすすめてくれました。

メロンはバザールに限らず道端でも積み上げて売られていますが、まるで米俵を積んでいるようです。両腕で抱えても持ちきれないほどで、スイカの四倍もの大きさのものもあります。トロッとしていて甘くクリームのような美味しさです。最近保存の工夫がされているようで、クリスマスの頃にメロンが売り出されていました。

果物のジュースもその場で絞ったものが売られています。透き通る美しい緋色のザ

タシケントのアライスキーバザールで売られているドライフルーツ
店によって味が違うので、試食させてもらってじっくり吟味

クロジュースは口に含めば甘酸っぱさが広がりえもいわれぬ美味しさで、身体の中の汚れを全て溶かしてしまいそうです。桑の実のジュースは少し味が濃く口の中が真っ黒になりますが、是非味わってみてほしい一品です。フレッシュジュースが出回るのは春から秋までで、ウズベキスタンでは手に入る季節には毎日飲んでいる家庭も多いと聞きました。

ドライフルーツも豊富です。保存の設備がないので、果物の多くは乾燥させて保存します。バザールではアンズ、ブドウ、イチジク、サクランボなどドライフルーツが山盛りに積まれています。

ナッツ類も種類が多く、クルミ、松

の実、ピスタチオにアーモンドなど、何軒もの店が工夫を凝らして自慢のナッツを並べています。それぞれの店で煎り方が違い味も少しずつ違います。クルミと干しブドウを一緒に食べると一層美味しいそうです。アンズの木の枝の灰を塗《まぶ》して炒った真っ白なアンズの種など独特の味があります。

また、それぞれの町にそれぞれ特有のパンがあります。どれも直径三十センチほどの円形で、バザールではお昼近くになれば少し塩味のついた焼き立てのパンが並び、香ばしいかおりが辺り一面に広がります。おばさん達が胸に抱えて売り歩いたりしています。

タシケントのパンは柔らかめ、サマルカンドのパンは堅めです。サマルカンドのパンは二〜三年も保存が利くと言われています。

息子が戦に出る時、息子はパンをひとかけちぎって口にし、親はそのパンを大切に壁にかけて息子が無事に帰ってくるのを待ちます。戦から戻った時、息子はそのパンを再び口にするのだそうです。

サマルカンドでそのパンを買い日本に帰国する時持ち帰りましたが、残念ながら、一週間ほどで黴が出てしまいました。日本の湿気にはさすがに耐えられなかったようです。

バザールでは焼き立ての温かいパンも買えます

みずみずしい野菜たち

バザールでは、歩きながらこれらを味見し、美味しければ買いますし気に入らなければそのまま行き過ぎます。値段は交渉次第で決まります。そもそもウズベキスタンの人々にとっては、売買の前にまず値段を決めるための交渉があるのが当たり前で、交渉をしないで買う日本人の方が珍しがられます。また値段を決める時、日本の方がよく言うように「もう少しまけてくれ」という言い方は通用しません。相互に値段を提示して折り合いをつけていきます。「もっと安くならないの？」というようなことを言いますと、困った顔をして「貴女の値段を言って下さい」との答えが返ってきます。

土曜日にタシケントにいる時には、通訳も兼ねていたロシア人の運転手セルゲイさんと一緒にバザールに行き買い物を楽しみました。交渉はいつもセルゲイさんの役目で、そのやりとりを眺めては楽しんでいました。「一キロいくら？」と聞いては、「いや、これはあまり美味しくない。高い」と言って交渉し、折り合いがつかなければ次の店に移動してまた交渉が始まります。「これじゃ、買えない」などとやっていると、お店

サマルカンドのバザールで見かけた青い大根

様々な香辛料が鼻をくすぐります

の人が奥の方から金タライにしまっておいた品物を、「これは大使のために特別に取っておいたものだよ」と言って、大事そうに取り出してくることもありました。

大使公邸にも近くよく行っていたアライスキーバザールでは、トマトを売る韓国人姉妹が、「今朝、採ったばかりの美味しいのがあるよ」と出してくれました。手に取ると、まだ枝からもぎ取られたばかりと主張しているような、トマト独特の少しきしんだような香りが顔いっぱいに広がりました。

秋にはカザフスタンからマツタケが持ち込まれます。元気な女性達が正規の売り場ではない空き地に荷を解いて、運搬用の荷台を小さなテーブルに見立てて野菜を並べています。マツタケは見つかるといけないようでおおっぴらには売っていないとのことでした。マツタケの姿は見えませんが香りは隠せません。「マツタケがほしい」と言うと荷台の隅の方から大事そうに取り出してくれました。

二階建ての別棟では、蜂蜜、乳製品、ソーセージ、イクラ、キャビアなどが豊富に並んでいます。

このアライスキーバザールでは、何時の間にか日本大使は顔なじみと

はち切れそうなトマト

値段の交渉も買い物の楽しみ

なり、「大使がバザールに着いたよ」という情報が直ぐにバザール中に回ります。「今日は、何を買うんだろう。きっとイチジクを買うに違いない」「ナッツが好きだから、いいナッツを出せばきっと買うよ」などと連絡を取り合っていたようでした。バザールは楽しい思い出の場所です。

バザールで売られている食料品の殆どは、売主自身が収穫したもので、朝早く午前四時頃、手押し車やリヤカーに品物を積んでバザールに集まってきます。バザールで売るには販売許可を得て、バザールを利用する権利を買わなければなりません。さらに使用する肥料などにも規制があるとのことでした。

食料品ばかりではなく、アライスキーバザールの一角には貴金属店が軒を連ねています。どの店にも金製品が豊富に並べられていますが、殆どの品物がイタリア製でした。

もっと大規模なバザールでは、衣料品や雑貨などありとあらゆる品物がうず高く積まれていいます。天井いっぱいまでズラリと洋服がつるされていて、「あれを見たい」と言うと、長い棒で下ろしてくれます。民族衣装は勿論、ごく普通のシャツやコートなどを売っていますが、殆どがメイド・イン・チャイナだったのが印象的でした。

また電気製品に特化したバザールもありますし、動物バザールなどもあります。日本人拉致事件の最中にカナリアを買ったのはこの動物バザールでした。犬や猫や鳥やハムスターなど随分多くの種類の動物が売られています。孔雀もいました。

骨董品や瀬戸物などを売っている店では、ロシア製の瀬戸物の人形や石製の花瓶や彫刻など興味深い品々に出会えます。ウズベク人の女の子がお茶を淹れている陶器の人形が大変気に入って、時間があると探しに出かけたものです。たまにしか出てきませんが、見つけてもその都度値段が違っていて交渉の末買い求めました。それでもタシケントでは「高めの値段だ、もっと強く交渉すべし」と冷やかされていました。おみやげ用にと十一個まで買い集めましたが、使わずじまいになっていて今も我が家の狭い棚にお行儀よく並んでいます。

ウズベク人の女の子がお茶を淹れている陶器の人形。見つける度に買っていたら、気が付くと11個にもなっていました

伝統音楽

国立音楽院《コンセルバトワール》では伝統音楽の継承と教育が熱心に行われています。伝統的な楽器演奏の訓練は厳しく、若者達は真剣です。歌謡は恋の歌が多いと聞きました。日本の民謡に通じるものがあり、いつか民謡の競演が出来たらと夢見ています。伝統音楽には踊りがつきものです。手の動き首の動きに特徴があり、早いテンポの美しい動きに魅せられます。

独立記念日や祭日には、全国各地から人々が集まり伝統の音楽や踊りが華やかに披露されます。

日本の民謡にも通じる旋律

4弦のヂジャク

副旋律を独特の音色で歌うタンブル

11弦で七種の音色を出すウッドゥ

ウズベキスタンの民族音楽

コンセルバトワールを訪ね、伝統的な音楽を聴かせていただいた。楽器には象嵌などの細工が施され、工芸品としても非常に美しいもの。楽器の種類も多く、下の五種のほかピアノの原型ともいえるチャング、横笛ナイなどがある。

女性が歌うのは、「顔は月のように丸く明るい…」とウズベキスタンの女性の美しさを歌った「エイ　チハラス　トォポタン」。男性二人は愛の歌「ボスタンを通った」を、お皿を口の前で緩やかに動かし、声を反響させて歌う。

曲想は思わず踊り出したくなるような軽快な曲から、ゆったりと情感を奏でるものまで様々。

メロディラインを担当するドゥタル

タンバリンにも似たドライ

文学

パミール高原に源を発しアラル海に注ぐアムダリアと、天山山脈から流れ出てアラル海に至るシルダリアに囲まれた地域では、古くから哲学者や医学者、数学者、天文学者、文学者を数多く輩出しています。

十世紀には、古典ペルシャ文学の基礎を築いたルダーキー、イスラム哲学を樹立したイブン・シーナ、モハメッドの伝承を集大成したアル・ブハーリーなどがおり、ペルシャ文化がこの地で花開きました。十五世紀にはアリシェル・ナヴォイが美しい四行詩の作品を残し、ジャミーはペルシャ文学の完成者と言われています。チムール朝の王子バーブルの自叙伝「バーブル・ナーマ」は現在でもよく読まれていますし、十一世紀の詩人、ウマル・ハイヨームの四行詩「ルバイヤート」もよく話題になります。

ウズベキスタンで最も愛されている詩人はアリシェル・ナヴォイで、古典ウズベク語で書かれた五部作「ハムサ」は多くの人々に読まれています。「敬虔な信者の困惑」（一四八三年）、「ライリとメジュヌン」、「ファルホドとシリン」、「七つのプラネット」（一四八四年）、「イスガンダールの防壁」（一四八五年）は、政治、歴史、愛を謳い、ロマンに満ちた叙事詩として称えられ、その印象に残る場面は細密画の題材としてもよく使われています。

「ファルホドとシリン」の一場面を題材にとった細密画

残念ながら、古典文学について語れるほどの知識がありません。いずれこれらの作品が日本に紹介され、多くの日本の人々に読んでもらえる日が来ることを期待しています。

ウズベキスタンの伝統工芸品

シルク

綿生産が国の主要産業とするなら、シルクはウズベキスタンの人々が自分達の生活のために作り出す贅沢品です。綿畑のあぜ道には桑の木が並木のように植えてあります。お蚕さんを飼っているのでしょう、一メートルほどの高さのところが瘤のようになっており、そこから細い柔らかな若い枝が伸びています。

また、ウズベキスタンでは桑の木は聖なる木と考えられており、イスラムの寺院の中庭や入り口には途中で切られることなくのびのび育った桑の木が大木となり涼しい木陰をつくっています。

ブハラの「カラーン・モスク」にある石が敷き詰められた中庭には、真ん中に四角い囲いがあり大きな桑の木が一本静かに立っています。夏に訪ねた時には大きく枝を広げ木陰をつくっていました。桑の木の下の囲いに腰かけ、壮大な建物がつくる静けさの中で遥かな時の流れに浸りました。

またサマルカンドのウルグベックの天文台の入り口にも大きな桑の木が繁っていて、

夏の終わり頃訪ねた時には、白い実を沢山付けていました。

シルクは手織りが主です。機械織りの物も最近は出回っていますが、何といってもその独特の柔らかさや手触りの良さは手作りの絹に限ります。その柄の繊細さ、独特の色使いなど非常に魅力に富んでいます。

織り方や模様は地域によって特徴があり、見れば何処で織られた物か直ぐ分かるそうです。ウズベキスタンのシルクを最も特徴付けているのはアトラス織でしょうか。

この柄には伝説があります。

その昔、この地域を支配していた王が布の職人達にこの地の美しい娘達に相応しい

虹をイメージしたというウズベク伝統のアトラス織

美しい布を織るように命じました。最も美しい布を織った者には沢山の褒美が与えられることになっていました。ある職人は考えました。この世で最も美しいものは何だろうか。ふと空を見上げるとそこに大きな虹が架かっていました。そうだ、この虹のような美しい布を作ろう。職人は工夫に工夫を重ね、七色の糸を織り交ぜてそれはそれは美しい布を織り上げました。それが今に伝わるアトラス織のシルクです。

シルクの織り方を見ますと、絣織とでも言いたい懐かしい織り方がよく使われています。銘仙や沖縄のミンサー織ともよく似ています。一般的に広く使われておりアトラス織にもこの技法が使われています。

華やかな色、大胆な柄の織物

もう一つ独特な織り方のシルクが首都タシケントから東へ車で二時間半ほどの古い都、コカンドで織られています。コカンドは一七一〇年から一八七六年まで栄えたコカンド・ハン国の首都でした。お城は今博物館となり、栄えていた当時の装飾品や調度品が展示されています。この街に住むおじいさんの機織場でこの布は毎日少しずつ出来上がります。日本でいう地紋入りの織物で無地か格子柄が殆どですが、縦糸が綿糸、横糸が絹です。手触りの良い温かみのある布でとても丈夫だそうです。タシケントでこの布を少し手に入れていましたが、二〇〇二年の春、尾崎護国民生活金融公庫総裁（当時）が中小企業育成についての指導のためウズベキスタンを訪問した機会に、このおじいさんのお宅を訪ねました。

自宅の敷地の中に機織場があり、糸を紡ぎ、草木で染め、機を織ります。従って同じ色の布は染め一回分のものに限られます。少しずつ色合いが違ってしまう布ですが、何とも言えずほのぼのとしていてとても気に入っています。現在ではこのおじいさんしか織れないのだそうで、跡継ぎが育つかどうか心配です。

日本に戻ってから、この時買った布でスーツを作りましたら、日本の着物地でスーツを作ったふうで、着易くてなかなか良いものになりました。このような美しい織物に出会う度に、日本にま

コカンド織職人のおじいさん
毎日少しずつ織り上がります

で続くシルクロードに思いを馳せました。

いつか日本で、美しいウズベキスタンのモデル達が柔らかい手織りのシルクを身に纏って、その独特の色やデザインを披露するファッションショーを開きたいと夢見ています。

繊維工科大学で行われた
ファッションショー
伝統の布地を使って現代
風な服に仕上げています

すてきな品々

ウズベキスタンの地方を訪ねると、それぞれの地方に独特の焼き物や刺繍、織物、彫金、石細工など、古くから伝わる伝統の品々や技に出会えます。ソ連時代にはこのような伝統的な文化は全て否定され絶えかけていましたが、それでもウズベクの人々は密かにそれぞれの「家」ごとに何とかその技を継承してきました。

このような伝統工芸を保存、振興する目的で、タシケントやサマルカンドではモスクの一つが伝統工芸センターとなっています。モスクにはかつて神学生が寝泊りして勉学にいそしんだ個室が中庭に面して並んでおり、それぞれの技を代表するマスターがその個室に一人ずつ陣取って、実際に作品を作り販売もしています。

彫金の職人

細密画

この伝統工芸センターでまず目に付くのが細密画です。細密画のマスターとなるには随分と厳しい審査をパスしなければなりません。殆どのマスターはその実家が昔から細密画を描く家で、子供の頃からその家に伝わる細密画の手法を学び、受け継いでいるとのことです。

極々細い筆で髪の毛や髭の一本一本を描いています。題材は幅広く、歴史、文学、生活の全てが対象で、お酒を酌み交わす宴の場面、音楽を奏でる人々、駱駝と一緒の旅模様などは最もポピュラーな題材です。日常の生活、例えば、闘鶏、闘牛、カナリアの鳴き声コンクール、サーカス、揺籃《ゆりかご》を揺する母親なども親しみ易い題材です。伝承や昔の文学作品の有名な場面を描いた細密画は日本の絵巻を思い出させます。

デルビッシュと呼ばれる放浪する哲学者もよく描かれます。デルビッシュとは、楽器を弾きながら托鉢をし、世の中のことと人生のことを考えながら放浪する人物です。お金は持っていないが未来を考える人として皆から尊敬されています。ウズベキスタンの社会にはこのような哲学者を受入れ大事にする豊かさがあります。

それぞれの絵には独特の美しい幾何学模様が何処かに描かれ、描き込まれた幾何学模様でどの地方の作家が描いたものか分かります。

細密画は伝統芸術の最も重要な分野ですので、古い細密画の研究や貴重な細密画の保存も細々とですが行われています。

さらに伝統的な細密画を基本として現代絵画的な要素を取り入れた作品

顔料、金箔などを何重にも塗り重ね
緻密な絵が出来上がります

細密画の特徴である細い線を
一本一本書き込んでいきます

کین ده ویران گذاری بما
نیز چنین چند سپاری بما
آن دگرش گفت کزین درگذر
گر ملک اینست نه بس روزگار
جور ملک بین و برو غم مخور
زین ده ویران دهمت صد هزار
در ملک این لفظ چنان درگرفت
کاه برآورد و فغان برگرفت

を試みる作家も現れています。この種の絵画も大層魅力あるものです。

近代絵画

ウズベキスタンの北西部、アラル海を取り囲む地域がカラカルパキスタン自治共和国です。この自治共和国の首都ヌクスの美術館には驚くほど大量の近代絵画が残されています。ソ連時代、強制労働を強いられていた人々が残した絵画です。

また、現代の絵画についても注目したい作品が数多く出てきています。時々開催される展示会で惹き付けられる作品に出会い、立ち止まることもしばしばありました。しかしまだまだ芸術家達は貧しく、若い画家達は、一枚の絵が売れるとその代金で絵の具を買い次の絵に取りかかるといった状況です。タシケントに住む外国人達が絵画の主な購入者で、これらの画家達を支えています。

焼き物

それぞれの地方に独特の焼き物があります。ブハラに近いギジドワンの焼き物は緑色に特色がありますし、フェルガナ地方のリシタンの焼き物は天然の深い青色が魅力的です。サマルカンドの焼き物は茶色が印象的です。焼く温度があまり高くないせいでしょうか、壊れ易いのが欠点ですが、個性的な色や模様がとても美しく、大事に使いたいと思わせます。

日本の陶磁器に対しても非常に関心が強く、九谷焼の窯元には、初代孫崎享大使の時代から、これまで何人ものマスターが研修に訪れています。

上／ギジドワンの小皿
中／昔ながらの手法で染められた
　　リシタンの酒をそそぐ器と壺
下／リシタンの大皿

木工細工

木工細工も得意分野です。コーランを置く書見台にはきっとびっくりすることでしょう。一枚の板に鋸を入れ、切り離すことなく作品が出来上がり、幾層にも組み立てると書見台になります。形状をうまく説明出来ませんので、現物を見ていただくしかありません。

ウズベクの人々は手先がとても器用で、透かし彫りや細かい装飾を衝立や板戸に彫り込みます。

木彫りのテーブルや椅子も美しいものです。

毛皮

羊の毛皮の帽子や手提げなどがブハラやヒワの街中で売られています。道路脇に帽子を並べていますので、被ってみて気に入れば値段を決めて買うことになります。一月に訪れた時には、寒さの中で有難いものに出会った気分で一つ手に入れました。

生まれたばかりの子羊、生まれて二週間から三週間以内の子羊

ブハラの道路脇で
子羊の毛皮の帽子を被ってみました

コーランを置く書見台

の毛皮は珍重されています。この小さな毛皮をつなぎ合わせてコートを作ると聞きました。

刺繍

地方で作られる刺繍の作品も伝統があり、見事です。

壁にかける「スザネ」と呼ばれる絹の刺繍を施した古い布は昔の城の蔵に沢山残されており、百年前のものは勿論、二百年、三百年前のものもあります。現在蔵から出されて売りに出されており、アラブの商人やヨーロッパの人々が買い漁っていると聞

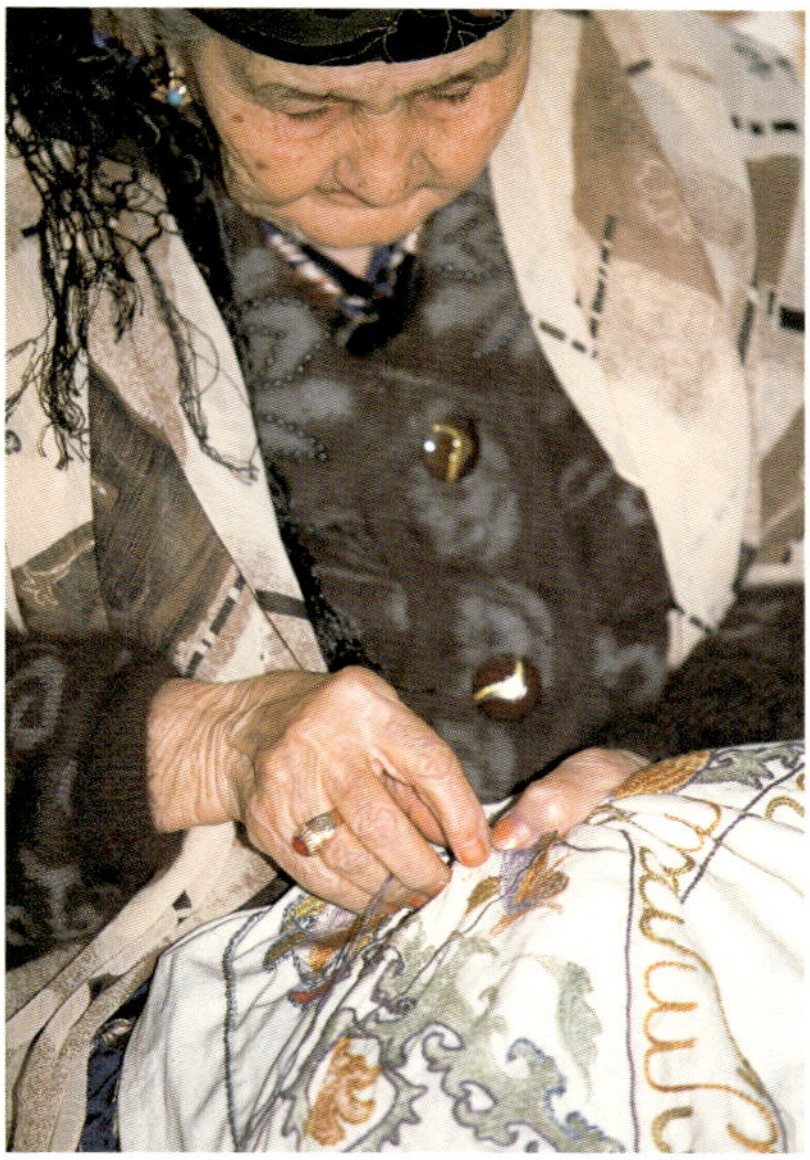

上／スザネを刺繍するギジドワンのおばあさん
下／ひと針ずつ丁寧に刺繍されたスザネ。本書のカバーにもスザネの図案を使用しました

きました。ヨーロッパではウズベキスタンで買う値段からは想像も出来ないほどの高い値が付いているそうです。

現在もこのスザネは作られており、女性達が一部屋に集まって刺繍をしています。図柄として、ザクロやブドウ、トウガラシなどの植物がよく描かれます。子沢山や宝物が増えるという意味があるとのことで、子孫繁栄、商売繁盛を願う図柄です。ブドウの図柄は日本にまで伝わっており、ご覧になればきっと懐かしく感ずることでしょう。

ウズベキスタンの「トーン」と呼ばれる伝統的な衣服には前身頃から裾を巡って見事な金糸の刺繍が施されています。細い金の糸の刺繍がどの糸も乱れることなく施され、まるで金箔を塗り込めたかのごとく美しい模様が描き出されています。

クロスステッチ

シャフリサーブスではクロスステッチが伝統的な工芸品です。シャフリサーブスはサマルカンドから五十キロメートルほどのところにあり、アムール・チムールが生まれた街で、世界遺産に登

民族衣裳に用いられる金糸の刺繍

クロスステッチのクッションカバー

録されています。ここでも古くから「家」がそれぞれ伝統の柄や技を伝えてきています。それぞれの家にその家の女性達が集まって作品を作ります。七歳位になると女の子はこの集まりの中に入り刺繍を覚えます。一人前になるには随分と年月がかかるそうで、現在、手の綺麗なクロスステッチの刺し手は百十人ほどとのことでした。

糸は少し太め、天然染めの絹糸で、手提げやクッション、ベストなどの小物類からソファー掛けや壁掛け、ベッドカバーなどの大きな作品までそれはそれは美しい物が作られています。

絨毯

ブハラやヒワなど古い街では今も、女性達が立てかけた糸の前に座って細かい目を一こま一こま埋めて、伝統的な絨毯を織っています。栗の木やザクロなど天然の草木で染めた絹糸で織られる絨毯は、光の当たり方でその輝きを変え宝石のようです。その上に裸足で乗ると何ともいえない気持ち良い感触です。

サマルカンドでは、アフガニスタンから移って来た親子が絨毯工場を開き、四百人ほどの女性達が細かい作業をしています。

ブハラの絨毯工房にて

装身具

胸全体を覆うような華やかなネックレスに肩まで届きそうなイヤリング、幾重にも巻かれたブレスレットなど、ウズベキスタンの女性達が身に着ける装身具はとてもお洒落で豪華なものです。この細かな細工をする職人達も、数は少ないながらも誇りを持って伝統を伝えようとしています。

ウズベキスタンの女性は本当に美しい。「春先には交通事故が増えるから気を付けろ」とよく言われます。ウズベキスタンでは冬の寒さから一気に初夏のような暖かい陽射しが射し込みます。そんな時、厚いコートを脱ぎ捨てて、すらっとした手や足を惜しげもなくのびやかに陽に当てて闊歩する若い女性達が街に溢れます。運転手泣かせの季節です。

三月八日の「女性の日」のことだったと思います。この日は祝日で、大勢の人々が各地から集まり民族舞踊や民謡などのイベントが繰り広げられます。カリモフ大統領が祝辞の中で、「ウズベキスタンほど美しい女性達がいる国がほかにあるでしょうか。この美しい女性達はウズベキスタンの宝です。自分達男性はこの美しい女性達

様々な石を散りばめたネックレス

繊細な細工が美しい胸飾り

を守るために豊かな国を創らねばなりません」と述べました。集まっていた女性達は大きな喜びの声をあげ、拍手は鳴り止みませんでした。

手作りの品々

このほかにも、彫金、漆、瑪瑙《めのう》、ガラス細工、石細工など魅力的なものが沢山あります。各地の伝統工芸品は独立後やっと自由に作られるようになりました。伝統的な技が失われなかったことに感謝しつつ、今その技をより発展させようとそれぞれの「家」が努力し、政府も支援しているところです。

グリ・アミール廟の美しいタイル

仏教遺跡

中央アジアには、八世紀初めにアラブ人が侵入し強制的にイスラム化するまで、多くの宗教が存在していましたが、中でもゾロアスター教と仏教が栄えていました。

玄奘三蔵は六二九年、西域を目指して中国を出発し、この地を通ってアフガニスタンからインドに入りました。玄奘三蔵は六四五年に、多くの経典や仏像を携えてインドからほぼ同じ道を通り、再びこの地を通って中国に帰国しています。「大唐西域記」には、六三〇年にサマルカンドに立ち寄った時の記述として、「親切さと繁栄は諸国の鏡。王や人々は火を拝んでいる」と書かれていると聞いています。西遊記にも中央アジアと思われる場面がいくつも登場します。

現在のウズベキスタンの人々の生活を見ても、強制的にイスラム化されたせいでしょうか、一般の人々はお酒もよく飲みますしバザールでは豚肉も売っているような状況です。ムスリムといってもその規律はとても緩やかで、仏教的なしきたりの名残ではないかと思えるものが人々の生活の中にところどころ見受けられます。例えば、日本ではお彼岸に当たる三月二十一日は、ウズベキスタンの元旦で休日です。この日はイランやトルコ、アフガニスタン、そしてウズベキスタンでは「ナブルーズ」（ペルシャ語で「新しい日」）と呼ばれ、古くから年の初めの日として祝われていました。この頃墓地を訪ねますと、手桶に水を汲み墓石に水をかけて汚れを落としお花を供えてお参りをしている人々の姿をあちらこちらに見かけます。お年寄りや子供も一緒です。どのお墓も色とりどりの花で飾られ、まるで日本のお彼岸の頃の墓地のようです。そしてウズベクの人々と話をしていると、それは輪廻の考えではないかと思われるような言い振りに出会うこともよくあります。

また、一神教の社会でありながら、イスラム教以外のほかの宗教も同じように認められています。カソリックの教会もありますし、ロシア正教の教会もあります。仏教寺院はタシケントでは見かけませんでしたが、ある地域に現在も仏教徒が住んでいると聞きました。

この地域には仏教遺跡が数多く残されています。貴重な遺跡が多くあり古くから研究されてきました。この地域の仏教遺跡については、加藤九祚先生が『中央アジア北部の仏教遺跡の研究』（シルクロード学研究Vol.4・一九九七年）で詳しくまた分かりやすく紹介されています。

ここでは直接目にした仏教遺跡についてご紹介します。

アジナ・テパ

一九六〇年代、タジキスタン南部、アフガニスタン国境に近いアジナ・テパ遺跡から、全長十三メートル、高さ三メートル弱の巨大な塑像の涅槃仏と六〇〇点もの美術品が発見されました。涅槃仏は分断されドゥシャンベに運ばれましたが、当時タジキスタンがこうした貴重な文化財を所有していることが顕在化すればタジク民族の意識高揚につながると懸念した旧ソ連政府の意向により、一般公開されることなく倉庫に保管されました。独立後、分断されていた体の主要部分も接合され、修復作業がフランスのＮＧＯ、ＡＣＴＥＤ（技術協力開発事業団）の支援により進められています。現在この仏教はボボムロエフ歴史考古学博物館の廊下に展示されていますが、バーミヤンの石仏がタリバンによって爆破されてしまいましたので、この涅槃仏が当時のものとしては最大の仏像だとのことです。

タジキスタンのアジナ・テパ遺跡で発見された涅槃仏

ダルヴェルジン・テパ

ウズベキスタン南部、大河アムダリアの支流スルハンダリアの中流地域に、ダルヴェルジン・テパの大都城址があります。この遺跡のことは古くから知られていましたが、一九四九年に本格的な調査が始められました。

一九八九年、一九九一年、一九九三年には創価大学シルクロード学術調査団とウズベキスタンのハムザ芸術研究所との共同調査が行われ、さらに一九九六年から二〇〇一年にかけて、平山郁夫東京芸術大学学長が理事長を務める文化財保護振興財団とシルクロード研究所の支援を得て、古代オリエント博物館とハムザ芸術研究所との共同作業によるダルヴェルジン・テパの遺跡発掘調査が行われました。

古代バクトリアの見事な遺物が発掘されています。

カラ・テパ

アフガニスタンとの国境近く、テルメズの空軍基地の中にあるカラ・テパの遺跡は、一九九〇年以来、日本人研究者達によって発掘されています。このチームの指導者が加藤九祚先生です。加藤先生は井上靖の『シルクロード紀行』の中に通訳として登場している方ですが、とても元気溌剌としていらっしゃいます。ウズベキスタンの人々と共に研究し、共に生活し、酒を酌み交わし、時には「あざみの歌」を歌います。二〇〇二年にはウズベキスタン共和国政府から「友好勲章」を授与されました。中央アジアに関する著書も多くあり、いずれもロマンに富んで

カラ・テパ遺跡にて

読みやすく楽しい著書ですので是非ご一読をお薦めします。

このように日本人研究者が長年発掘作業を続けながらテルメズに滞在しているせいでしょうか、テルメズでは日本人は特別の存在ではなく大層馴染んだ存在です。二〇〇一年十一月、中山と一緒にテルメズを訪問しこの遺跡を訪ねた時にも、仲間が訪ねてきたといった様子でした。

このカラ・テパ遺跡から出土した品々は、ウズベキスタン科学アカデミー考古学研究所の研究室に大切に保管されています。二千年もの昔、この地で栄えた文化の遺品はウズベキスタンが自国の歴史や文化に対して自信を深める役目を担っています。同研究所のピダエフ博士は、加藤先生とともに長年カラ・テパ遺跡の発掘に携わっている方で、この遺跡のことをいつも誇らしげに話してくれます。特に日本の研究者達が、発掘した貴重な品々を国外に持ち出すことなくウズベキスタンに残しこの地で研究を続けていることに大変感謝しており、高く評価していると何度も話してくれました。

国立美術館を訪ねました時、女性のイブラギモヴァ館長が、「中央アジアの一級の宝物は殆ど持ち去られてしまい、ここにあるのはその残りです。価値ある文化財はエルミタージュ美術館やヨーロッパの美術館に保存されています」と、少し残念そうに説明してくれたことがありまし

テルメズの人々に囲まれる中山

た。そのような経験を持っていますので、日本の研究者が中央アジアを尊重し、貴重な文化財をこの地に残して研究を続けていることにウズベキスタンの人々は殊のほか感謝しているのでしょう。

加藤先生の指導の下、カラ・テパ遺跡から発掘された出土品を中心にした「ウズベキスタン考古学新発見展」が二〇〇二年に日本の三都市で開催されました。

また二〇〇五年には、「偉大なるシルクロードの遺産展」が福岡市、高松市、いわき市、岡崎市、京都市で開催されています。この遺産展はタジキスタンとウズベキスタンを中心に、紀元前から近代に至るまでの文明の足跡をこの地の壮大な歴史とともに紹介しています。

チャイハナで談笑する人々を
形どった陶器の置物

公邸での生活

タシケントの日本大使公邸は借家です。家主は未亡人でモスクワ郊外にお住まいです。ご主人がタシケントで活躍していた頃、優れた建築関係者八人がチームを組み建築した家屋とのことで、決して豪勢ではありませんが風情のある心地良い住まいです。床は一面美しい寄木細工、壁も優雅に飾られています。初代の孫崎大使が選ばれただけのことはあって、外交団からもウズベキスタンの人々からも好かれています。公邸としては少し狭いと言われながら、雰囲気の良さは捨てきれずこの屋敷を大切に使っています。

中庭には白樺の木が三本。芝生を囲んで薔薇の大きな株が十株ほどあり、春から秋の終わり頃まで赤やピンクや黄色や白の美しい薔薇を楽しめます。

この中庭に面して「チャイハナ」が設えてあります。

「チャイハナ」はウズベキスタンの家々の木の下や軒下に置かれた六畳ほどの台のことで、三方が垣根で囲まれています。真ん中に小さなちゃぶ台を置き、その周りには座布団、といっても日本の座布団を三枚つな

宮崎の友人が送ってくれた
埴輪を公邸中庭に

ぎ合わせたような細長の座布団を敷き、長くて丸い枕などが隅に置かれています。お年寄り達がここで涼みながらお茶を飲みおしゃべりをし、時にはゲームを楽しんでいます。お昼寝をしているのを見かけることもあります。公邸の「チャイハナ」は、お客様があると絨毯を敷いてここでもてなすこともたまにはありましたが、通常は見ていただくだけのものでした。

お客さまが大勢で部屋に入りきらない時には中庭が大いに役に立ちました。閉じられた空間で、床が芝生、空が天井の客間となりました。夕暮れが迫る頃のこの客間は格別でした。

お客様が大勢の時、「チャイハナ」のそばでアンバールさんがシャシリクを焼いてくれました。手のすいているスタッフも手伝いました。煙が昇り、独特の匂いが漂い始めると、シャシリクを焼く台のそばに人が集まります。焼き立てのシャシリクを頬張りながら話し込み、賑やかな夕べが過ぎてゆきました。

公邸のスタッフの祝いごとがある時なども、アンバールさんがプロフを作ってくれました。アンバールさんのプロフは食べやすく美味しいと評判でした。「チャイハナ」のそばにテーブルを出し、公邸のスタッフ

プロフを囲んで

中庭でシャシリクを焼くアンバールさん

が集まってプロフを楽しみました。懐かしい思い出のひと時です。

大使の住居は前任の小畑紘一大使時代に計画され、庭の隅に増築したものです。中庭に面している二階の部屋の窓から白樺や薔薇や埴輪を見て過ごせます。これまでは住居部分は一部屋しかなく大層不自由だったそうですが、私は新しい住居で快適に過ごすことが出来ました。

毎朝、隣の家の鶏の声で目が覚めます。時には眠りについたばかりの時に元気のいいコケコッコウで起こされてしまうこともありましたが、鶏の声の聞こえる生活はいいものです。ウズベク語では「クカレックー」というそうですが、今もあの声を懐かしく思い出します。

初夏。白樺の若い枝が幾重にも重なるすだれのように風に揺れ、柔らかい若葉を通り抜けてそよ風が部屋に入ってくる時には、風が薄い緑色に感じられました。浄化されたそよ風が部屋に満ち、この上ない幸せが体を包みます。

秋。公邸の前庭と大使館の駐車場の脇に植えたコスモスが大きく育ち、色とりどりの花をいっぱいに咲かせました。中山が宮崎県生駒高原のコ

新しい大使館の庭に咲いたコスモス

公邸の中庭に立つ白樺の木

公邸から見た残照

スモスの種だからといって届けてくれたものでした。

ある日、第六章でお伝えするベカバード市にある日本人墓地を訪ねて自室に戻り窓を開けましたら、既に夕日が落ち残照が西の空を赤く染めていました。

白樺の葉も赤く色付き、やはり落ち着いた雰囲気が漂います。額田王は何故秋を選んだのかなぁ、あの華やかな生活からは春を選んで良さそうなものなのに、などと改めて考えたりしました。

冬ごもり　春さり來れば　鳴かざりし　鳥も來鳴きぬ　咲かざりし
花も咲けれど　山を茂み　入りても取らず　草深み　取り手も見ず
秋山の　木の葉を見ては　黄葉をば　取りてそしのふ　青きをば
置きてそ歎く　そこし恨めし　秋山われは　　（額田王　万葉集）

冬。雪が降り、嬉しくてカメラを持って外に出ました。小学校を北海道旭川市の郊外東川町で過ごしたせいでしょうか、雪が降るといつも嬉しくなってしまいます。公邸の前の道路も家並みも真っ白となり、普段より数倍美しい景色です。子供達がそりを引き出して遊んでいました。公邸の中庭にも雪が積もり、雪の中でも埴輪は丸い口を開け片手を挙げて佇んでいました。タシケントはもともと雨が少ない地域ですので、温度は下がりますが雪が降ることはひと冬に二〜三回しかありません。

大使館で勤務中に秘書のベクゾットさんが、「大使、『コウノトリの雪』が降ってますよ」と知らせてくれました。慌てて秘書室に行き、皆で窓から身を乗り出すようにして、コウノトリの雪がゆっくりと降りしきるのをながめました。一片が十センチほどもある大きな雪が鳥の羽のようにふわりふわりと舞い降ります。コウノトリの雪が降るのはほんの五分ほど。直ぐに普通の雪に変わってしまいました。コウノトリの雪が降れば春はもう間近です。

春。つばめが番《つがい》で飛んできます。公邸の軒端の何処かに巣を作っているのでしょう。ある時、警備員が「大使の住む二階の窓に土鳩が巣を作

コウノトリの雪　大使館の窓から

雪が積もった日　公邸の近所

り始めましたよ」と教えてくれました。廊下の端の窓でしたので「カーテンを閉めたままにしましょう」とリュウバさんもお掃除を控え、皆でそっと見守りました。三週間ほど経った時、小さな声が聞こえ雛が孵《かえ》っていました。カーテンをそっとつまんで覗いてみたら、嘴が透き通った生まれたばかりの雛が親鳥の帰りを待っていました。毎日そっと覗き姿を確かめました。親鳥が抱えていることが殆どでしたが、ある日雛だけが窓枠から首を出して外を見ていましたので写真を撮りました。嘴もしっかりとして立派な土鳩になっていました。その翌日、無事巣立ったのでしょう、もう姿はありませんでした。嬉しいような少し寂しいような気分でした。リュウバさんは早速お掃除を始めました。

この後巣立ちました

窓辺で孵った土鳩の雛

第四章

ウズベキスタンの経済

グラジュアリズム・アプローチ（漸進主義）

ウズベキスタンは一九九一年の独立後、経済の市場化、自由化を進めようと努力してきました。しかし、社会主義経済体制がしっかり根を下ろした体質を、市場主義経済体制に変えていくことはそう容易いことではありません。

さらに中央アジアでは独立後、イスラム原理主義の脅威が常に存在していました。ウズベキスタンの隣国タジキスタンでは一九九二年に内乱が始まり、アフガニスタンからのイスラム過激派の侵入により市街戦が繰り広げられる混乱状態が続き、経済は破綻しました。一九九七年の停戦合意を経て二〇〇〇年の国会議員選挙までの間は、経済改革を進められるような状態ではありませんでした。タジキスタンでは政治体制が安定してきた二〇〇二年頃からやっと経済改革に着手し、現在経済の自由化を懸命に進めているところです。

ウズベキスタンにおいても、経済の変革によりインフレーションなどの社会不安が起きた場合、国際テロ組織と結び付いたイスラム過激派がウズベキスタンめがけて入り込み混乱状態となり、場合によっては内乱にもなりかねないと考えられていました。

このような状況の中では社会的安定が経済成長よりも優先され、経済面でショックを伴う改革は行い得ず避けられてきました。経済の構造改革を進める時には、物価急上昇や失業者急増により貧富の格差が広がり貧困層が増加し、社会に不満が出てくる恐れが十分あります。このため少しの社会不安も生じさせることなく、一歩一歩経済改革を進めようとする方針が採られました。いわゆるグラジュアリズム・アプローチです。

このような政策を採った結果、ソ連が崩壊して独立した国々の中で、ウズベキスタンにおいては独立後の急激な生産の落ち込み、失業の急増、インフレの高進、国際収支の悪化などが比較的緩やかでした。また政治面では大きな成果を挙げ、治安が維持され落ち着いた社会が形成されました。

他方、経済の構造改革については旧ソ連諸国の中でも遅れてしまい、貿易の自由化、農産物の価格自由化、価格メカニズムの活用や企業間の自由な競争が制限されることとなりました。

ウズベキスタンでは一九九四年から一九九六年にかけて構造改革が比較的急速に進みましたが、一九九六年後半、主要産品である綿花と金の国際商品価格の低迷により国際収支が悪化し、食糧などに関する政府の価格統制が再開され、輸出入管理、為替規制などが導入され、一九九七年一月には複数為替制度が導入されるに至りました。

このため民間の経済活動がなかなか活発化せず、外国資本の導入も滞りました。

経済政策を担当するアジモフ副首相（当時）は、日本語で「一歩、一歩」と言いながら経済改革の必要性を忍耐強く説き、経済の市場化を図っていました。若手の経済官僚達も真剣です。資本主義経済をどのようにしたらこの地に根付かせることが出来るのか、どのような政策を採ればウズベキスタン経済を発展させることが出来るのかと、海外の文献を読み自国の経済状況を調査し意見交換をし、夜遅くまで土日も無く働いていています。

このような状況の中で大変頼りにされていたのが、ＪＢＩＣ（国際協力銀行）から外務省に出向し、ウズベキスタン大使館に勤務していた山田哲也書記官（当時）でした。ウズベキスタンの経済情勢や経済の動きを自身の目で確かめ、必要な経済政策について助言出来る日本人が身近にいることをウズベキスタンの経済担当者達は心から感謝していました。また山田書記官は、タシケントに勤務するＩＭＦ（国際通貨基金）やＩＢＲＤ（世界銀行）、ＥＢＲＤ（欧州復興開発銀行）やＡＤＢ（アジア開発銀行）の人々とも常に連絡を取り合い、ウズベキスタンの経済政策について意見交換をしていました。

この「第四章　ウズベキスタンの経済」は、山田書記官が大使館勤務中にまとめた調査資料に基づき、その後の動きや現在の状況を書き加えたものです。

ＩＭＦ（国際通貨基金）八条国への移行

二〇〇二年夏に帰国するまでの在任中、ウズベキスタンの経済関係者との主な話題はいつも為替の自由化についてでした。当時は複数為替制度が採られていましたので、ウズベキスタンの通貨スムのドルに対する価値はいくつもあり安定していませんでした。コマーシャルレート、オフィシャルレート、そしてその他のレート（闇レート）もありました。この複数為替レートの解消が大きな課題でした。一九九七年の複数為替制度導入時には、公式レートが年平均一ドル約六十六スムに対し、コマーシャルレートが約七十五スム、闇レートが約百五十スムと、公式レートと闇レートでは二倍以上の開きがありました。

複数為替制度は前述の通り、ウズベキスタンの主要輸出産品である綿花の国際価格が下落したため一九九七年一月から導入されたもので、少ない外貨を政府の戦略的優先分野での輸入に重点的に割り当てるため、政府が為替を管理するものです。輸出で得た外貨を中央銀行への強制売却制度を使って国家の管理下におき、それを輸入ライセンス制度や外貨割当制度により、一部の優先分野に分配するシステムです。

ウズベキスタンでは外貨準備についての心配が常にあり、外貨準備が十億ドルを切る恐れがある時には輸入規制を強化せざるを得ないと考えられていました。外貨準備は一九九五年当時には輸入の約七カ月相当ありましたが、綿花の市況が悪化して国際収支が悪化した一九九七年には四カ月相当を下回ってしまいました。このような状況を見ながら、旧大蔵省に入省した当時のことを思い出していました。日本でも、IMF八条国へ移行した一九六〇年代半ば頃には、外貨準備が十二億ドルを切りそうだ、輸入制限措置の準備をしなければならないといった議論が繰り返されていました。

経済改革をどのように進めるべきか、ウズベキスタン政府の中で激しい議論が戦わされていましたが、経済の自由化を進めようとする改革派の意見は、当時タリバンの勢力が強大になる中では、関係する人々をなかなか説得することが出来ないまま、社会不安を起こさずに経済改革を進めるという難しい政策運営を強いられました。

アフガニスタンでのタリバン崩壊後、これまでのしかかっていた暗雲が少し取り除かれたのでしょう、改革派の意見が政策に反映されるようになり、経済の構造改革、自由化が着実に進められているようです。二〇〇三年五月にはEBRD総会をタシケントで開催し、同十月には複数為替制度を廃止し、ウズベキスタンはIMF八条国へ移行しました。

複数為替レートの統一を含む為替制度改革及び市場経済化に向けての経済構造改革を進めウズベキスタンがIMF八条国となったことは、経済発展を遂げる基礎が出来たと考えられ今後の経済動向が期待されます。一方、国際機関の中には必ずしも肯定的な見方ばかりではなく、例えばＥＢＲＤのように、民主化や市場経済化の遅れを理由に、最近では公的部門への貸出しを原則取り止め民間部門のみを支援していくこととしている機関もあります。

今年（二〇〇五年）三月にウズベキスタンを訪問した時には、一ドル千三十〜四十スムほどでホテルの中にある両替所で何時でも交換出来ました。大使として滞在していた当時、懸案事項とされていた複数為替制度や闇レート問題はすっかり姿を消していました。街を歩いても社会全体が以前よりも明るくなったように感じられました。勿論、経済体制が変化する時には一部の地域で貧困が増大することが予想されますから、失業対策、生活補助対策などを十分準備しておかなければなりません。為替自由化を進める場合の議論の中でこのような対策のための試算も行われていましたので、ウズベキスタン政府は貧困の増大を防ぐための対策をしっかり採っているものと期待しています。

モノ・インダストリー

ソ連時代には共和国分業体制が採られており、ウズベキスタンの産業は綿花と金の生産、そして飛行機の組み立てに特化していました。機械や日用品などの製造品は殆ど輸入に依存し、資源としてウズベキスタン国内に豊富に埋蔵されている石油も輸入していました。

大規模な灌漑施設が全国に整備され、綿花栽培に特化した経済体制がつくられてきました。綿花を主とする農業生産はＧＤＰ（国内総生産）の三五％を占め、農業人口は雇用の三四％を占めています（二〇〇三年世界銀行）。原綿の生産高は中国、米国、インド、パキスタンに次いで世界第五位、輸出高では米国に次いで世界第二位です（二〇〇二年ＦＡＯ〈国連食糧農業機関〉）。

もう一つの主要産品は金で、その生産高は世界第七位、輸出高では世界第五位。埋蔵量は五千三百トンと言われており毎年約八十トンが産出されています（米国地質調査所）。ソ連時代のモノ・カルチャーの経済では、ウズベキスタンは金そのものを輸出する役目でした。

輸出額に占める綿花の割合は二九％、金は三五％を占め、一次産品が外貨収入の約三分の二を占めています（二〇〇三年世界銀行）。

ソ連が崩壊して、ウズベキスタンの経済が国際経済体制の中に組み込まれることになってから、特に一九九六年以降、金や綿花の国際商品価格の下落の影響を強く受け、ウズベキスタン経済は大きなダメージを受けました。モノ・インダストリーがウズベキスタン経済の脆弱さと繋がっていることを示すものでした。

こうしたモノ・インダストリーからの脱却を図るため、次のような政策が採られてきました。

経済の高度化

現在ウズベキスタンでは、一次産業に大きく依存した体質を二次産業、三次産業へ高度化してゆく取り組みがなされています。

ウズベキスタンの主要な産業である綿花については、現在綿花の七割以上が原綿のまま輸出されていますが、付加価値を付けようとの努力がなされており、二〇〇五年中には綿花生産の五割を繊維ないし繊維製品に加工し付加価値を付けて輸出するとの目標を立てています。繊維産業の育成は最も重要な課題であり、さらに綿糸に留まらず綿布の製造、綿製品の製造も自国の産業として発展させることが期待されています。

現在トルコや中国の企業が現地法人による綿製品の製造を進めており、日本の企業もこの動きに参加しています。チノズ、シャフリサーブス、フェルガナでは日本製機械を中心としたプロジェクトが完成しました。

金についても、金そのものを輸出するだけではなく金製品の製造を目指しています。しかし現在のところ未だ金細工は発達しておらず、バザールで販売されている金製品も殆どがイタリアからの輸入品でした。現在、金細工の技術者養成に力を入れており、金製品の製造技術習得のためイタリアへ研修生を派遣したり、イタリアから技術指導者を招聘して金製品の装飾デザインや金の加工技術についての研修が行われています。

自給率の高度化

外国に依存していたエネルギー資源について、国内需要を自国で賄える体質に変えました。ウズベキスタンでは独立当時、石油の七〇%をロシアのオムスク市から供給されていました。ウズベキスタンは独立後、コクドゥマラク石油・ガスコンデンセート鉱床の開発やブハラ、フェルガナなどの精油所の整備を積極的に行い、一九九五年にはエネルギー面での自立を達成しました。

日本製の織機が並ぶ織物工場

開所式が行われた繊維工場にて

原油輸出については、輸出用の石油パイプラインが無いため現在のところ明確な計画は立っていませんが、国内需要は十分満たす水準（七百五十万から八百万トン）で安定的に維持することが出来ると見込まれています。

農産品について見ますと、独立後、政府は綿花産業の育成に加えて穀物の自給達成を農業政策の柱とし、綿花から穀物へと農業生産のシフトを図ってきています。このため、綿花の生産量が一九九五年の三百九十三万トンから二〇〇〇年の三百万トンへ減少している一方、穀物は一九九五年の三百二十一万トンから二〇〇〇年には三百九十一万トンへと増加しています（世界銀行）。現在、食糧品の中で砂糖を輸入に依存しているほかは、ほぼ一〇〇%自給出来る体制となっています。

輸入代替政策

日用品は勿論、製造品の殆どを輸入しなければならなかったウズベキスタンでは、工業化を進め製品の国内生産体制を確立しようと努力を重ねています。とりわけ自動車、石油・ガス製品、肥料生産などの増加に力を注いでおり、こうした国内製造業に対しては高率の関税、非関税障壁、外貨や信用の優先的配分などの手厚い保護が加えられています。

しかし、この政策は大層コストの高いものとなっており、今後は、より一層の競争原理を取り入れることや外資にとって魅力的な環境を提供し、外資を導入しつつ産業の幅を広げていくことが重要であろうと考えられます。また周辺諸国を共通の経済圏として捉えた経済の多角化を検討することも必要となるでしょう。日本の企業が自由にそして活発に活動する日が来ることを心待ちにしています。

農業セクター

ウズベキスタンでは、農業は国内総生産に占める割合から見ても、雇用の面から見ても、外貨収入の面から見ても最も重要な位置を占める産業です。ウズベキスタンはソ連時代、モスクワの食糧庫といわれており、また綿花栽培は水平分業体制のもとで保護・育成されてきました。天山山脈、パミール高原から流れ出る水をたっぷり使った大規模な灌漑が大量の綿の生産を支えています。

綿花

綿花栽培の歴史は古く、ロシア帝国が中央アジアに侵攻したきっかけも綿を求めてのことでした。ソ連時代のモノ・カルチャーの経済では、ウズベキスタンは綿と金を輸出し、日常雑貨品などを手に入れていました。

タシケントからサマルカンドやブハラへの行き帰り車を走らせる時、窓の外になだらかに丘陵が広がり、広大な綿畑が果てしなく続きます。時には綿畑の地平線に大きな太陽がゆっくり沈む情景に出会い、心の中で祈りをささげることもありました。

綿畑はウズベキスタンの国内全域に広がっています。九月中旬から十月にかけての綿花の収穫時期になると学校が一斉に休みになり、生徒達は綿花畑に行き収穫を手伝います。学生たちの綿摘みの光景は毎年秋の風物詩です。

綿花の生産はそれほど重要な産業ですが、ウズベキスタンの経済近代化の歩みの中で種々の問題を抱えています。大規模農場の経営は旧態依然たるもので、いわゆるノルマの世界が支配しています。近代的な利益を追求する経営には程遠く、それぞれが与えられたことを済ませるのみといった様子です。

また、国が綿花を買い上げる価格と輸出価格の差額は国庫に入る主要な歳入となっており、作付計画から綿花の国家買取量や価格まで国家が管理しています。

金融セクター

銀行預金

ウズベキスタンでは銀行への信頼が低く預金率は低いものとなっています。国民の銀行への不信の原因として、ソ連が崩壊した時、ソ連時代の銀行預金の払戻しが受けられなかったこと、独立後のインフレにより預金の価値が失われたことなどが挙げられます。また顧客の取引情報を銀行が税務当局に報告する義務があることなども、銀行への預金が敬遠される状況をつくっています。一般の人々は「タンス預金」ならぬ「ビン預金」をしていると聞いていました。また、自国通貨への信頼が高くなく、スム預金をするよりも外貨や不動産などで資産を保有することがより好まれています。

資金運用、資金調達

低い預金率のため、銀行にとっての資金調達の手段は、主に中央銀行からの借入れ、インターバンク市場での資金の融通、外国金融機関からの借入れ、企業の預金に限定されています。

資金運用先についても、それぞれの銀行が特化しているセクターや企業への政府の指示による貸出し、国債などに限定されています。

銀行

中央銀行と三十四行の商業銀行がありますが、国営銀行や旧国営銀行への集中の度合いが極めて高くなっています。まだソ連時代の名残を色濃く残しているため、産業銀行の色彩が強く、例えばパフタ銀行は綿花を中心とした農業セクターへの貸出し、プロムストロイ銀行は建設業への融資、アサカバンクは自動車セクターへの融資を担当するといった具合です。

政府は問題を認識しており、ユニヴァーサル銀行育成のために、新銀行の設立や既存の産業別銀行のユニヴァーサル化を促進する努力を行っていますが、一般預金を集めるリテール・バンキング業務は国民銀行（Halk Bank）に、外国との取引業務はNBU（ウズベキスタン国民銀行）にといった具合に、国営大銀行に業務が過度に集中しており、ユニヴァーサル化はまだ進んでいません。

水資源問題

アラル海

アラル海は、アムダリアとシルダリアの二本の大河が注ぎ込む塩湖です。ダリアは川、アムは活発な、シルは静かなという意味です。ソ連時代にこの二つの川の流域において、世界三大灌漑事業の一つといわれる大規模な灌漑事業が行われ、アラル海への水の流入量が減少し、湖の面積は世界第四位から現在は第八位に転落してしまいました。

この流域の土壌は塩分を多く含んでいる上、灌漑によりさらに土壌の塩分濃度が高まり深刻な塩害が生じています。アラル海の干上がった土壌では塩の嵐が吹いていると言われています。流域住民の健康被害も甚大で、乳幼児死亡率も高くなっています。

アラル海問題に関しては、世界各国、各機関で危機のメカニズムや被害状況に関する調査や対策についての研究がなされており、また対処療法的な医療面での人道支援などは行われていますが、抜本的な対策となると農業インフラ改善のための膨大な資金が必要となり、また流域各国の利害調整も整っておらず、目立った進展は見られていないのが現状です。

国際河川

中央アジアの国境は、地形的に入り組んでおり、河川は複数の国への出入りを繰り返しながら流れています。

例えば、アムダリアはその源をタジキスタンのパミール高原に発し、アフガニスタンとタジキスタンの国境を形作り、さらにウズベキスタンとアフガニスタンとの国境線となり、ついでトルクメニスタンの国内を流れた後ウズベキスタンとトルクメニスタンの国境となり、ウズベキスタンの古都ヒワの近くでウズベキスタンに入り、北上してアラル海に注ぎます。ウズベキスタンで最も綿花栽培が盛んな地域の一つであるブハラ地域への灌漑用水の取水口はトルクメニスタン領内にあります。

シルダリアは天山山脈に端を発し、キルギスのトクトグル湖を通りフェルガナ盆地に流れ込んで、ウズベキスタンを通過してタジキスタンを流れ、ふたたびウズベキスタンを横切ってカザフスタンに入り、北上してアラル海に注ぎます。シルダリア上流のトクトグル湖では水力発電を行っていますが、冬季の電力需要を賄うため冬から春先にかけてキルギスが放水量を増やすため、冬季の農閑期で水需要の少ない下流のウズベキスタンでは、農地が冠水するなどの被害が毎年のように生じています。

中央アジアにおける国際河川の管理について、水利用などの国際的取り決めはまだ確立されていません。中央アジア五カ国の首脳は二〇〇一年十二月にタシケント宣言に署名し、自国政府に対し、国境を越える水資源の国際的利用メカニズムの完成を急ぐよう指示しました。この宣言にうたわれているように、国境を越えて流れる中央アジアの河川が国際河川として管理され適切に利用されることが望まれます。

天然資源

エネルギー資源

中央アジア地域、特にカザフスタン、トルクメニスタン、ウズベキスタンにはエネルギー資源が豊富に存在します。米国ＥＩＡ（電子工業会）の資料によれば、カザフスタンの石油埋蔵量は全世界の約一〇%、トルクメニスタンの石油埋蔵量は約八%を占めると予測されており、またウズベキスタンの天然ガスの埋蔵量は世界の約六%を占めると予測されています。

ウズベキスタンの石油の埋蔵量は二〇〇四年末で約一億トン、世界のシェアの約〇・六%とそれほど大きくはありませんが、それでも一九九〇年の石油生産量は二百八十万トンありました。ウズベキスタンの石油は硫黄分を多く含んでいますが、独立後、国内の石油精製プラントなどが日本の輸出信用などの供与を受けつつ整備され、現在では石油の自給体制が確立しています。二〇〇四年の石油生産量は六百六十万トンで、世界のシェアの〇・二%を占めています（二〇〇五年BP社）。

他方、原油輸出については、パイプラインがなく輸送コストが高くつくことから、原油の殆どは国内への供給に向けられており輸出はごく限られたものとなっています。

天然ガスについても、生ガスを供給することに重点が置かれてきましたが、二〇〇一年にフェルガナ地方のシュルタンにガス化学工場が建設され、農業用のパイプやシートの原料となるポリエチレンを生産出来るようになりました。

こうした天然資源が外貨収入源として役立つためには、まず輸送の問題を克服する必要があります。原油や石油製品をどれだけ輸出出来るか、豊富な天然ガスの質を向上させ、パイプ網を利用して輸出出来るか、こうした天然資源を価格の安い近隣諸国との取引だけでなく他の地域の国々との取引にまわせるかなどが、今後のウズベキスタンの経済発展の重要な鍵となると考えられています。

金、鉱物資源

ウズベキスタンは金鉱石の産地であり、金生産の分野では、アメリカのニューモント社やイギリスのオクサス社といった企業が投資を行っており、鉱山の開発が行われるようになっています。

ウズベキスタンには周期律表にある全ての元素が存在すると言われていますが、この富の大部分は未利用のまま眠っています。金のほか、ウラン、銅、タングステン、カリ塩、リン酸塩、カオリン、石灰石、珪砂《けいしゃ》、水晶などの豊富な鉱物資源が確認されており、一部は採掘されています。現在、貴金属、非鉄金属、希少金属、放射性金属などの鉱床探査が行われています。

今年（二〇〇五年）開催されていた愛知万博のウズベキスタン館でも、多種の鉱物資源が展示されました。

中小企業

旧ソ連諸国の経済構造は、共和国間分業体制が長い間行われてきたため、いずれも片寄ったものとなっています。また比較的規模の大きい国営企業が経済の主役であったため産業の広がりがありません。

ウズベキスタンでは中小企業を育成することにより中産階級を創出し、その購買力を高めて経済全体の底上げを図ろうとしています。中小企業の育成による雇用の創出、産業の高度化に取り組んでいるところです。この結果、中小企業活動の経済全体に占める割合は一九九一年には一％にすぎなかったものが、二〇〇一年には三四％にまで増加しました（ウズベキスタン政府）。二〇〇一年には中小企業基金が創設されるなど各種の施策が講じられています。ＡＤＢやＥＢＲＤなども中小企業向けのクレジットを供与して、こうした動きをバックアップしています。

フェルガナ州のスレート製造工場
丈夫なスレートが作られています

中小企業育成の中で最も困難な課題は小規模金融の問題です。旧ソ連の銀行制度を改善することなくして中小企業の育成は難しいと考えられています。日本の国民生活金融公庫からの技術支援は極めて大きな意義あるものでした。関係する省庁の若者達が小規模金融研究チームをつくり、日本の国民生活金融公庫から学び、その考え方やシステムを取り入れようとしています。

インフラ改善と国営企業の民営化

中央アジア地域のインフラは、ソ連時代の遺産により地方の隅々に渡って比較的よく整備されています。僻地の農村に行っても電気がありますし水道も一応あります。しかしメンテナンスの予算確保が困難なため殆ど更新されていません。今後インフラの整備を進めていく上で、インフラを所管する各省庁や国営企業の民営化の問題は中央アジア各国における共通の問題となっています。通信、電力、鉄道、道路、上下水道などの公共サービス部門は民営化による効率向上が望まれる分野です。民営化を進めるに当たって、コスト回収の出来る料金設定、独立採算企業体への再編、部門別別会社化などの施策が必要となります。

ウズベキスタンでは一九九二年以来、民営化された企業は一万三千を超えます。これまでに民営化されたのは飲食店や商店、建設会社、軽工業などの中小企業が中心でしたが、政府は一九九八年からＩＢＲＤの支援を受け、大企業や戦略的重要性の高い企業の民営化に着手しました。重点分野として、鉄道、電力、石油・ガス、通信、航空機製造、金融が民営化の対象とされています。

ＥＢＲＤによれば、国民総生産に占める民間部門の割合は二〇〇〇年に四五％となったとのことですが、民間部門の割合が七割程度に至っているロシアや、六割程度のカザフスタンに比べるとまだ民間部門の成長の余地は大きいものと思います。

インフラの整備に関しては、通信や電力などの分野では、民営化が成功すればインフラの整備を進めていくことも可能となりますが、他方、老朽化するインフラの更新需要があまりにも巨額であったり、農業灌漑や農業排水、教育・医療などの社会インフラなど民営化に馴染まない分野では、引き続き政府が外国からの援助を受けつつインフラ更新事業を実施していくことが肝要であり、インフラの改善における政府の役割はなお大きいといえます。

地域協力

中央アジア地域諸国は、その地理的な条件や歴史的な背景から、地域間の協力なしには効率的な経済の発展は望めません。

原料調達、製品マーケットの規模、輸送網、資金調達、テクノロジー、資源配分などの観点からも、地域協力により周辺諸国を共通の経済圏として捉えることが必要です。またアラル海問題をはじめとする環境問題や水資源問題も地域間の協力なしには解決出来ない問題です。

こうした地域協力は、現実には各国の政治的な思惑もありうまく機能していないのが現状ですが、中央アジア各国とも地域協力の必要性については認識しており、「中央アジア協力機構」、「中央アジア共同体」、「上海協力機構」など各種の努力の動きが見られます。

第五章

日本との交流

中央アジアでは、独立後にようやく伝統文化や固有の優れた文化を再認識し発表することが出来るようになりました。現在、ウズベキスタンでは民族音楽や舞踏、伝統工芸品の振興が図られていますが、文化活動は国が支えて何とか維持されている状態であり、民間のみで文化交流事業を十分行えるような状況ではありません。

このような国々との文化交流を進める場合、ＪＩＣＡ（国際協力機構）や国際交流基金、ＪＥＴＲＯ（日本貿易振興機構）の活動が大いにその力を発揮します。日本についてその全てを知りたい、日本に学びたいと思っているウズベキスタンの人々にとって、これらの機関の活動は大変高く評価されています。地道な活動ですが、経済面だけでなく技術面や文化面に基礎をおいた交流の進展こそが将来の両国の真の友好を深めることになると考えています。

ＪＩＣＡのタシケント事務所は一九九九年五月に設立され、その後あらゆる分野における技術者の派遣や研修生の受け入れ、青年海外協力隊の活動など目ざましい活躍を続けています。二〇〇〇年十二月には日本ウズベキスタン人材開発センター（通称日本センター）も設置され活動の幅を広げました。このセンターでは日本語教育も行われており、日本文化の紹介や日本との文化交流の中心的役割を果たしています。

ＪＥＴＲＯのタシケント事務所は二〇〇〇年十月に開設されました。ウズベキスタン政府が中小企業の育成などに力を入れている折から、日本の情報を得るためにＪＥＴＲＯ事務所を訪れるウズベキスタンの若者達も多く見かけます。

日本の祭り

着任した翌年の二〇〇〇年の春、その年の秋に開催する日本文化月間の準備に入りました。国際交流基金からは十月に人形展の開催や和太鼓グループの派遣が認められました。この事業を中心にもう少し賑やかに日本を紹介出来ないだろうかと考えました。タシケントには在留邦人がつくる日本人会があります。ある時この会の商工会役員の方々との会合の場で、日本らしい楽しい催しが出来ないだろうかと相談しましたら、その場で直ぐに答えが返ってきました。

「『日本の祭り』をやりましょう」

さぁ大変です。何をしたらよいのか。金魚すくい、夜店、屋台、盆踊り。何処で？費用は？

その後、集まっては話し合い、計画を練りました。商工会では、それぞれが得手の分野を最大限に活用しながら自由意思で参加することが決まりました。勿論、大使館も「日本の祭り」を文化月間行事とすることを決めました。こうして大使館とタシケントに住む日本人ボランティアの方々との共同事業が始まりました。

宮崎からの親善訪問団

この年の春、夫中山成彬の地元、宮崎では、ウズベキスタン親善訪問の計画が持ち上がり、宮崎空港発タシケント空港着のウズベキスタン航空によるチャーター便の運行が決まりました。

一機の乗客は百八十五名から百九十名。全国から参加希望者が多く、一週間ごとに三回チャーター便を出すことになりました。どの便も満席でしたので五百人を超える訪問団となりました。

人形展開催や和太鼓グループの派遣が十月と決まっており、このウズベキスタン親善訪問も十月と決まりましたので、文化月間は当然のこととして十月となりました。「日本の祭り」も十月に開催です。

計画を進めながら、日本の地方の良さを改めて認識しました。宮崎からの親善訪問の具体的な日程や参加者がほぼ固まった頃、この訪問団に対し、日本文化を紹介したいが協力してもらえないだろうかと尋ねましたら、予想をはるかに超える「協力します」との返事が届きました。

　親善訪問団の中に、茶道、華道、書道、箏曲そして人形作りの先生方がおり、さらに宮崎の伝統芸能「木剣《ぼっけん》踊り」のグループも参加していました。言葉では言い表せないほど嬉しく有難く思いました。

日本文化月間での人形作り教室　挨拶をするイブラギモヴァ館長

　これだけ揃えば、あとは着々と準備を進めるのみです。大使館の文化担当、瀬谷幸代専門調査員（当時）は、ウズベキスタン側との打ち合わせで連日駆けずり回っていました。

　国際交流基金人形展の会場は国立美術館の一階ロビーと決まり、玄関から会場までの回廊には日本のポスターを展示しました。コンクリート造りの会場はたっぷりと布を使って柔らかい雰囲気の部屋に衣替えし、美しい日本の人形を国立美術館のイブラギモヴァ館長や学芸員と相談しながら、一体一体、大切に展示しました。

　この日本人形を展示した、日本的な優しい雰囲気に満ちた広い会場の中で、三週間に渡って週に一度、宮崎県

日本文化月間での生け花教室

文化人による日本文化紹介が行われました。宮崎の方々の協力は全てボランティアでした。着物の準備をはじめ、お茶、お花、お習字、人形、それぞれに必要な材料や道具はご自身で使っているものを日本から運んでくれました。琴も六面運びました。

開会式では文化担当副首相が挨拶し、会場には沢山のウズベキスタンの人々が訪れ熱心に見学し一緒に楽しみました。

お茶の席では、二人の先生が茶道を紹介し実演しました。敷き詰めた畳の上での立居振舞の美しさに観客がため息をつきながら見とれていましたが、ついには畳に正座しお茶をいただく人々も出てきました。

人形作りでは細かな作業がよく見えないと言って、テーブルを黒山の人が取り囲みました。習字教室も珍しかったこともあり、先生方はウズベキスタンの女性や子供達に揉みくちゃにされながら大きな声で説明し実演してくれました。

箏曲の演奏は円形の観客席のある隣のホールで行われました。

生け花はウズベキスタンで大変人気があり、実演では、子供がお花を生けるのを母親やおばあさまが「もっと短くしたら」とか「もっと真っ直ぐに」などと先生をさし置いて真剣にアドバイスしていました。きっと今もそれぞれの家庭でお花を生けていることでしょう。お花が大好きな人々ですから。

日本の祭り

二〇〇〇年十月十八日、和太鼓「富岳太鼓」が、日本人が建設に携わったナヴォイ劇場を熱気の渦に巻き込んで第一回公演を終えました。

翌十九日午後六時、ナヴォイ劇場正面の外のステージで、和太鼓「富岳太鼓」の第二回公演が始まりました。激しい撥捌きに広場を埋め尽くした人々は一瞬静まり返り、太い太鼓の音が暮れなずむ広いタシケントの空に響き渡りました。

日本の太鼓と競演するウズベキスタンの伝統音楽も負けじと続きます。笛の音が鋭く響き、タンバリンに似た楽器ドライが速いリズムを刻み、琵琶に似た弦楽器が哀愁を込めて演奏されました。この夜の競演は日本とウズベキスタンが一体となったかのようでした。

次いで宮崎の「木剣踊り」の出番です。日本古代の衣装に身を包み、ウズベキスタンで初めて日本の伝統的な古い踊りが披露されました。大国主命と同じ衣装、白い上衣に足首をしめた白い袴、頭と腰には紫色の帯飾りを着け、木刀を携えて、日本独特のリズムで踊ります。幽玄ともいえる不思議な雰囲気が会場を包み、宮崎からの女性の踊り手達は汗びっしょりになって踊り納めました。

踊りの舞台が終了するのを待って、「日本の祭り」の始まりです。

舞台に続くナヴォイ劇場前の大きな広場には黒山の人、人、人。日本人会の人々が設えた夜店が並び、手作りで張った電線には一メートルおきに裸の豆電球が灯り、ぼんやりと辺りを照らしています。

夜店にはヨーヨーやセルロイドのお面、吹くとピューと伸びる笛「吹き戻し」、線香花火などの懐かしいものが沢山並びました。全てチャーター便で日本から運んできたものです。

在タシケント日本人有志の人々が焼きそばやたこ焼き、そしてシャシリクも加えて実演販売に挑みま

ナヴォイ劇場

した。この日のために焼き上がりの時間を見るなど、担当者達が集まって何度か演習をしてきましたが、この夜は予想をはるかに超える人が押し寄せ、演習は全く役に立ちませんでした。売り場の台が倒れ掛かり、警備の人々が支えました。

タシケントに住む人々だけにとどまらず、サマルカンドからも、サマルカンド外国語大学の学生達が日本語を教える山本雅宣先生に率いられて参加していました。

翌日の新聞では大きく取り上げられ、三万人が集まったと報じられました。

国際交流基金の文化派遣事業、宮崎県の人々のボランティア活動、ウズベキスタン在留日本人のボランティア活動、現地雇いの人々の手助け、そしてウズベキスタン政府の協力などなど、多くの人々の協力でタシケントでの「日本の祭り」が実現しました。

ボランティアでこの日本の祭りを取り仕切った、当時日本人会会長を務めていらした三井物産株式会社の友田敦久さんはじめ在留邦人の方々と顔を合わせると、今でもこの夜のことが話題になります。「大変な苦労だったが、忘れがたい、楽しい思い出だ」と懐かしんで語り合っています。

オペラ『夕鶴』

「日本の祭り」が開催される少し前の二〇〇〇年の夏、羽田孜元総理ご夫妻をナヴォイ劇場にご案内しました。この劇場は旧ソ連に抑留されウズベキスタンに強制移送された日本人が建設に携わったことで有名です。一九六六年にタシケントを襲った大きな地震の時にも、「周りの建物は全て崩壊したが、日本人が建てたこのナヴォィ劇場はびくともせずに残った」と、日本人の仕事の確かさが改めて称えられました。現在もオペラやバレエ、コンサートなどが上演されており、中央アジアで最も格の高い劇場です。

劇場の建物の向かって左側の壁にこの由来を認《したた》めたプレートが嵌め込まれており、プレートには、ウズベク語、ロシア語、英語、日本語で次のように書かれています。

一九四五年から一九四六年にかけて極東から強制移送された数百名の日本国民が、このアリシェル・ナヴォイー名称劇場の建設に参加し、その完成に貢献した。

このプレートには以前、「日本人捕虜が……」と書かれていましたが、カリモフ大統領は、ウズベキスタンは日本と戦ったことはないし日本人を捕虜にしたこともないと、「日本国民が……」と書き換えるよう命じました。独立国の大統領に就任して最初に行った外交的措置だったとおっしゃっていました。

ナヴォイ劇場のプレート

「このようないわれのある劇場なので、ここで是非日本の演目を上演したいのです」と羽田ご夫妻に申し上げました。プレートを見終えて、少し歩いた劇場の裏手の空き地の辺りでした。「ねぇ、オペラ『夕鶴』はどうかしら」とご夫妻が夢中で話し始めました。

このことがきっかけとなり、二〇〇一年八月二十八、二十九日、木下順二原作、團伊玖磨作曲、鈴木敬介演出の日本を代表するオペラ『夕鶴』の公演が実現しました。本格的な日本の大型舞台芸術の初めての紹介となりました。折しも二〇〇一年はウズベキスタン独立十周年に当たりましたので十周年記念事業の一つとなり、国際交流基金の主催事業としてこの年の文化月間の第一陣を飾りました。

初日には大統領夫人をはじめ政府の要人や文化関係者、外交団が詰めかけ、満員の客席は華やかな雰囲気に包まれました。二日目は芸術の好きな一般の人々で、熱気を帯びた満員の客席となりました。タシケントではロシアの影響があるのでしょうか、古典バレエやオペラ、管弦楽などの水準が高く、日本のオペラについての関心も大変高いものでした。

幕が上がり、簡素で無駄を捨てきったその美しい舞台にまず嘆声が上がりました。歌詞は字幕で表示されます。演奏は現田茂夫氏が指揮するナヴォイ劇場専属のオーケストラです。歌手が歌い始めると劇場全体が舞台に吸い込まれてしまったかのようでした。機を織る響きの優雅さ、照明の美しさは格別です。「つう」を取り巻く子供達はウズベキスタンの子供達が演じました。短めの着物を着て、日本語で歌いました。すっかり舞台に溶け込んでいます。「つう」が飛び去る頃には客席のあちらこちらからすすり泣きが聞こえました。舞台と観客席が一体となっていました。大成功です。幕が下りた時観客は総立ちとなり、何時までも拍手が鳴り止みませんでした。劇場全体が和音となったような拍手の音は、今でも耳に残っています。

また、この上演に際してもう一つのドラマが起きていました。この劇場の建設に携わった日本人抑留者の建設隊長永田行夫さんご夫妻はじめそのお仲間二十名ほどがツ

ナヴォイ劇場
ホール天井のシャンデリア

オペラ『夕鶴』

アーを組んでウズベキスタンを訪問し、この日の『夕鶴』を観劇されました。そして、当時一緒に働いたウズベキスタンの人々との再会を果たしました。どれほどの感激だったことでしょう。

このツアーは、ジャーナリストの嶌信彦さんが会長を務めるNPO日本ウズベキスタン協会の主催で実現したものでした。『夕鶴』の上演やナヴォイ劇場建設については、日本ウズベキスタン協会編集の『追憶　ナボイ劇場建設の記録』に詳しく書かれています。

また永田さんはタシケントの思い出や一緒に働いたメンバーの追憶や感想をまとめて、『ナボイ劇場建設の記録とタシケント第4収容所の想い出』を記しています。

オーケストラの指揮をとるはずだった團

伊玖磨氏は大変残念なことに、この年の五月に亡くなられていました。ご自身で必ず指揮するからとおっしゃってくださっていましたが、大変悲しい出来事でした。

公邸で、團氏を偲んで打ち上げの宴を開きました。出演者、ナヴォイ劇場オーケストラの主だった人々、関係者が公演を終えて集まりました。そしてこの大成功を舞台裏で支えたスタッフが、日本人、ウズベク人とも、後片付けを終えて夜中の十二時頃までにはやってきました。皆ほっとした気持ちで話がはずみ、応接間に置いてあったピアノを囲んで合唱し、興奮冷めやらぬひと時を過ごしました。公邸のスタッフも初日の舞台を見ていたせいでしょうか、心からの歓迎振りでした。アンバールさんは中庭にかがり火を焚き、えも言われぬ雰囲気をつくり出しました。

この上演の後、タシケントでは「『夕鶴』を見ましたか？」というのが挨拶代わりになりました。翌月、九月十一日、アメリカで起きたテロの後、日本からの文化事業は全てキャンセルせざるを得ませんでしたが、このオペラ『夕鶴』の上演はこの年の文化月間を一手に引き受けて余りあるものでした。

開園式にはカリモフ大統領も出席

園内に設けられたお茶席で
ひと時を過ごされました

日本庭園

二〇〇一年、日本文化月間の『夕鶴』公演にあわせて、日本庭園が開園されました。日本庭園はウズベキスタンの人々の夢の一つでした。ウズベキスタン政府は、子供遊園地やビジネスセンターが半周を取り囲む広い池の残り半周に面した雑木林の土地を日本庭園に充てました。ウズベキスタンで仕事をする日本の民間企業から寄付が寄せられ、鹿児島県の岸野純一さんの設計と指導で造園されました。

開園式にはカリモフ大統領が出席され、「ここに来れば、日本的なものを感じ取ることが出来る。多くのウズベキスタンの人々がこの庭園に来て、日本的なものに触れ、日本の文化を感じ取るように」とのメッセージを出され、多くの新聞やテレビを通じて報道されました。

今年（二〇〇五年）三月、この日本庭園を訪ねましたら、まだ肌寒い日でしたが、白いウエディングドレスに身を包んだ花嫁とタキシード姿の花婿のカップルが幾組もそぞろ歩きをしていました。日本庭園は今や結婚式を済ませたカップルが式の後、幸せを願って訪れる最もポピュラーな場所になっていました。結婚式の後訪れる場所として、以前はレーニン像のあった公園が選ばれていたそうです。現在では日本庭園のほかに、ウズベキスタンの人々に愛されている詩人アリシェル・ナヴォイの像の建つ国会議事堂近くの公園で幸せそうな花婿、花嫁のカップルを見かけます。

日本からの経済協力

日本との貿易を見てみますと、日本はウズベキスタンから金や繊維原料、繊維製品などを九千三百万ドル（二〇〇四年財務省通関統計）輸入し、機械機器、化学製品などを五千六百万ドル（同）輸出しています。貿易額はまだまだ小さく、ウズベキスタンの持つ資源や産品を考えますと、品質管理や改良などを行えば貿易は将来大きく伸びると期待しています。

日本からの経済協力もほかの地域に比べると小さい状況です。親日的で感謝の心を持つこの地域への経済協力がさらに発展することを願っています。これまでの経済協力としては、二〇〇四年までの累計で、有償資金協力が八件、九百七十五億円、無償資金協力が百六十七億円、技術協力が五十二億円、人道支援千五百万ドルとなっています（在ウズベキスタン日本大使館資料）。

有償資金協力の主なものとしては、地方通信網拡充事業、地方空港近代化事業、職業高校拡充事業、タシケント火力発電所リハビリ事業、鉄道新線建設事業などがあります。ここでは教育への支援として実施された職業高校拡充事業への協力を取り上げます。また無償資金協力としては、草の根無償資金協力について説明します。

教育への支援

現在、ウズベキスタンの人々が最も力を入れている問題は教育です。もともと教育は普及しており識字率はほぼ一〇〇%ですが、さらに教育の質を高め裾野を広げようとしています。

ウズベキスタンは二〇〇五年の国家予算の三三%を教育に充てています。国家として子供達に教育を受けさせ、働ける場をつくり出し、生活を豊かにしていくことが最大の課題となっています。「時間はかかるかもしれないが、教育こそが最終的には国を守り、繁栄する唯一の道だ」とウズベキスタンの人々は信じているのです。

二〇〇〇年五月、小渕恵三元総理ご逝去の弔問を大使館で受けました。政府要人や外交団の弔問を受けている最中、カリモフ大統領が弔問に大使館を訪れるとの連絡が入りました。大統領が大使館を訪問するのは初めてとのことでした。小渕元総理は一九九七年七月、国会議員としてウズベキスタンを訪問し大統領とも会談されており、大統領は大層強い印象を受けられたとのことでした。弔問を終え大使執務室で小渕元総理の思い出を懐かしそうに話され、真の友人が亡くなったことを大変残念だと繰り返しおっしゃっておられました。

その際、日本に対してお願いがあると切り出されたのが、教育に対する日本からの支援に関する要請でした。小渕総理の弔問の場での大統領からの直接の依頼でした。「独立した時に学校に入学した子供達が卒業する時期がもう直ぐ来る。この子供達には共産主義のことを教えていない。共産主義を全く知らない子供達に、より高い教育を受けさせたいが受け入れる学校が今は無い。職業専門学校をつくり技術を身に付けさせ、将来ウズベキスタンの産業発展を担ってもらいたいと考えている。職業専門学校を全国で千六百校建設する計画である。ついては専門学校のモデル校設立を日本にお願いしたい。学校のあり方、カリキュラム、先生の養成、研修など全て日本式に日本の考え方で進めてもらいたい」とのことでした。

ウズベキスタンでは小学校、中学校の区別がなく、一年生から九年生までの生徒が同じ学校に通っています。七年または八年で卒業して進学高校（アカデミック・リセ）に進む生徒もいますが、通常では九年間が義務教育です。

大学教育の水準は高く、進学高校から大学に進むエリート育成の道は出来ていますが、そのほかの子供達は学校を卒業した後そのまま就職するしか道はありません。

経済の自由化を進め中小企業を育成し経済発展を目指そうとしても、専門的な技術を身に付けた若者達がいないのではその目標は達成出来ません。専門学校の設立は是非とも必要であると考えられていました。ウズベキスタン政府は、一九九七年十月、国家計画の最重要プログラムの一つとして、「人材育成国家プログラム」を発表し、教育改革に乗り出しました。この教育改革の柱は、これまで九年間であった義務教育の期間を十二年間に延長し、小中学校に当たる九年間の学校を終えた後、全ての生徒が進学高校か職業高校かのいずれかに進学することを義務付けるというものです。

「この要請は日本と韓国だけにお願いしている。韓国とは特殊な関係がありその範囲での協力をお願いしている。教育の問題であるので、ヨーロッパの国やアメリカには要請しない。日本の教育を取り入れたいと考えているからだ。借款は必ず返済する。孫子の代になっても必ず返済する」

既に事務方ではこの要請を受け日本に伝えてありました。しかし、この時期、ＩＭＦ（国際通貨基金）がウズベキスタンの為替自由化の進展が遅いことを理由に融資を止めていましたので、日本がそのような国に対して借款を出すことは難しい状況でした。教育の問題は国の根幹に関わる事柄です。また専門学校の建設はウズベキスタンにとって喫緊の問題でした。このような一国にとって揺るがせに出来ないほど重要な事柄に協力出来るとしたら、日本の支援事業として大変有意義なものとなるはずです。一緒に大統領の話を聞いていた牧谷昌幸公使（当時）はじめ館員達も何とか要請に応えたいとの意見でした。ウズベキスタンの日本に対する信頼を理解してほしいと思い、大統領からの直接の要請をそのまま日本の関係者に伝えることにしました。

その後数カ月かかりましたが、関係する省の中で検討が重ねられ、ＡＤＢ（アジア開発銀行）との協調融資の形で教育円借款が認められることとなりました。ＡＤＢが工業高校を担当し、日本は農業高校を担当することになりました。

二〇〇一年秋には日本から農業高等学校の先生方が、ウズベキスタンの農業教育に携わる先生方を指導するためにウズベキスタンに派遣されました。ウズベキスタンからも多くの学校関係者が日本を訪れ、日本各地の農業高校で研修を受けています。支援が施設の建設のみに留まらず、農業の分野での人々の交流が盛んになっていることは予想を超えて有意義なことになったと喜んでいます。ウズベキスタンは農業国ですので、この農業高校で学んだ子供達が将来農業の近代化を進め、豊かな国を創っていくことだろうと期待しています。

草の根無償資金協力

もう一つ、大変喜ばれているのが「草の根無償資金協力」です。

この無償資金は一件当たり数百万円程度で、関係者に対し直接供与されます。資金供与のほか、注射針などの簡単な医療器機の贈与、日本で使われなくなった救急車の贈与など、協力の仕方はいろいろですが、それぞれの地域で大層喜ばれています。

二〇〇〇年春のことでした。アジモフ副首相（当時）とフェルガナ地方の情勢について話す機会がありました。ウズベキスタンの東部、豊かな土壌のあるフェルガナ盆地には人口が密集しており、この時入手していた情報ではフェルガナ地方の経済状況が非常に厳しいものとなっているとのことでした。特に女性達が現金収入を得るために苦しい思いをしているとの噂もありました。フェルガナに女性が働くための訓練をする場を設けたいがどうだろうと提案しました。アジモフ副首相はフェルガナ地方が国際テログループが侵入しやすい地域であり、この地域が社会的に不安定になることは何としても避けたいと考えていらしたようでした。即座に是非進めてほしいとの返事が返ってきました。

さらに、学校の設備や教材について無償供与を行いたいと思うがいかがかと聞きました。教育に関することについて、特に学校の設備などについて外国の支援が入ることをどう考えるか相談しておきたかったのです。このことについても、「是非進めてほしい。教育の分野であっても日本からの支援であれば歓迎します」という返事でした。

早速手続きを進めようとしましたが、この種の贈与はウズベキスタンでは前例のないことでしたので、この試みは副首相と話し合った時から半年以上そのままになってしまいました。女性の職業訓練用の設備といってもごく簡単なもので、例えばミシンや裁断用の器具、テーブルなどですし、学校の教材としては机や椅子、黒板などですが、このような新しい試みの場合には、どのように見積もりをとるかなどごく簡単な事務処理が出来ず、なかなか進みませんでした。

ところが有難いことに若い大使館員の一人がやり始めました。熊野忠則書記官（当時）は現地採用のスタッフを動かし、地方の学校を訪ね、話を聞き、どの地域の学校を対象とするかを決め、学校の内部の写真を撮り、必要な物は何か、どのような影響があるかなどあらゆる角度から調べ上げました。そして学校への教材の無償供与は価値ある事業であると結論付け、報告し理解を得ました。

当時多くの学校の設備は疲弊し、ウズベキスタンの予算では到底賄いきれない状態でした。「草の根無償資金」は政府に対する支援ではありません。支援される人々又は団体に資金が直接渡されます。とはいえ、学校教育に関わる支援はその国の教育方針や予算の付け方にも関係しますので、政府への連絡も怠りませんでした。

学校に対する草の根無償資金供与が決まると、対象となった学校の校長先生達は皆顔を紅潮させて調印式に集まりました。さらにこのことを知った地域の人々が、対象となる学校のある地域ではどの地域でも活発に動きだしました。これまで椅子が足りずに床に座って授業を受けていた子供達。窓が壊れ、壁は剥げ落ち、廊下もがたついていた学校。日本大使館から新しい机や椅子、黒板や運動器具が贈られると聞いた地域の人々は、学校に続く道路や校庭を綺麗に整備し、花壇を作り始めました。校舎の壁も塗り替えました。マハラの人々が全員で労働奉仕を始めたのです。これまで与えられたものと考えていた学校を自分達のものとして生き返らせました。

どの学校でも教材の供与式はその地域のお祭りのようでした。学校の門や玄関には日本への感謝の言葉が掲げられ、届いた品物には日本からの贈与であることを示すマークが貼られていました。子供達はウズベキスタンと日本の旗を振り、音楽や舞踊、詩の朗読を披露し、授業の場を見せてくれました。ある学校では卒業生から、「自分達は何も無い校舎

供与式で日本とウズベキスタンの国旗を振る子供達

無償供与を受けた学校での感謝の式典で

で勉強したけれど、弟や妹達が椅子に掛けて勉強出来るようになったことに心から感謝します」とのメッセージが寄せられていました。

ウズベキスタンでは、学校は地域の中心です。今ウズベキスタンの人々にとって最も大切なものは子供達です。先生達は勿論、父母達も子供の教育に一生懸命力を注いでいる様子がよく分かります。

ウズベキスタンの学校は、先に述べたように小・中学校が一緒で、広い地域をカバーしていますので、大規模で一校の生徒数は千人を超え、千五百人の生徒が通う学校もあります。学校の行事には生徒とともに父母や兄弟達が参加します。日本からの教材供与の式典にも、どの学校でも二千人を超える生徒とその家族が集まり、喜びと感謝の気持ちを表しました。

学校への教材の無償資金供与は、始めた頃はフェルガナ地方を中心に行われましたが、しばらくするとこの事業は全国に広がりました。

女性の職業訓練のための無償資金供与を受けた集会所にはミシンや縫製の台が並び、女性達が集まり訓練を重ね、数カ月もすると自分達で作ったものを学校や病院で使ってもらえるようになりました。それぞれの地域から女性達の表情が明るくなったとの連絡が届きました。

学校や女性のための草の根無償資金協力のほか、各種の草の根無償供与も着々と続けられました。医療器具や医薬品の供与など医療に対する無償供与は特に感謝されており、病院を訪ねましたら、日本から贈与された X 線撮影機や心電図の機器など全ての医療機器の一番目に付くところに日の丸とODA（政府開発援助）のマークが貼ってありました。

またタシケントからコカンドへ抜ける幹線道路の建設現場では日本のODAによって寄贈されたトレーラーやトラックが活躍していましたが、この道路を通る時にはいつも、それぞれの機械に日本のODAのマークがはっきりと分かるように貼られているのを目にしていました。

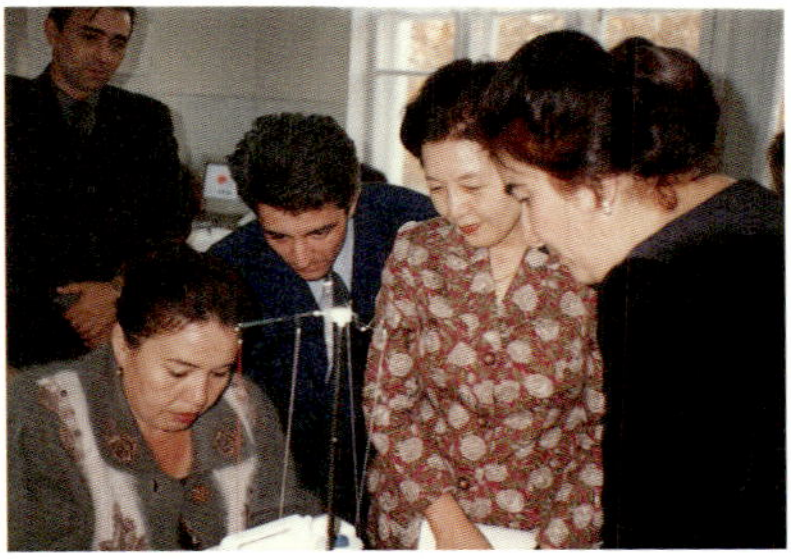
集会所でミシンの職業訓練を受ける女性達

新しいミシンを使う

一件当たりの供与額はそれほど大きくはありませんが、草の根無償資金供与や人道支援を受けた人々の喜びは計り知れないほど大きく、日本への感謝の気持ちが全国から寄せられました。この仕事で全国を駆け回った熊野書記官やその後任の林朋幸書記官（当時）はウズベキスタンの人々にとって英雄のような存在でした。ウズベキスタンで誰もが知っている日本人です。

技術協力

ウズベキスタンにおけるＪＩＣＡの活動も目を見張るものがあります。日本をモデルにして建国に励むウズベキスタンの人々にとって、資金協力だけでなく、日本から研究者や技術者を派遣してもらうことも貴重なことです。ＪＩＣＡの活動範囲はあらゆる分野に及んでいます。

一年から二年の滞在でウズベキスタンの組織の中に入って指導に当たっている人々は、自身の経験や日本的なものの考え方を現場で直に伝えることが出来、ウズベキスタンの人々に慕われています。一九九九年から開始された青年海外協力隊の活動も素晴らしく、初めて派遣された協力隊員は四人でしたが、すっかりウズベキスタンに溶け込み活発に活動し大きな成果を挙げていました。

二〇〇一年に設置された日本センターではビジネススクールが開校し、高い競争率の試験をパスしたウズベキスタンの若い公務員や民間企業の職員が真剣に学んでいます。

ウズベキスタンにおけるＪＩＣＡの活動については、ＪＩＣＡの広報誌などで紹介されていますので是非ご覧ください。

大学間交流

日本の大学とウズベキスタンの大学間の提携、協力はウズベキスタンにおいて高く評価されています。日本の大学への留学生の受け入れ、教授の派遣など活発な交流が続いています。

私の在任中には、早稲田大学の奥島孝康総長（当時）がウズベキスタンを訪れ、ウズベキスタンの外務大臣、教育大臣等と会談し大学間交流が大きく進展しました。早稲田大学はウズベキスタンの世界経済外交大学、世界経済大学、タシケント工科大学、サマルカンド大学と提携し、早稲田大学から二万冊の蔵書がこれらの大学に寄贈され、感謝されていました。留学生も年々増加していると聞いています。

日本語

日本語の学習も大層盛んで、タシケントやサマルカンドの大学で多くの学生が学んでいます。主要な国立大学では日本学部を創設する計画も立てられていました。ウズベキスタンの学生が中央アジアの日本語大会で優勝することもよくあり、二〇〇一年にモスクワで開かれたＣＩＳ（独立国家共同体）全体の日本語弁論大会では、ウズベキスタンの学生が優勝しました。

ウズベキスタンの学生達の日本語が優れていることは、ウズベキスタンの独立直後から日本語教師を務めていらっしゃる菅野怜子先生はじめ日本人の先生方の熱心な指導によるところが大きいことは言うまでもありません。日本語の先生達は、ボランティアとして厳しい生活環境の中で随分と苦労しながらも、学生達をしっかりと惹き付け楽しげに日本語を教えています。

フェルガナ州のリシタン市には「紀子学級」があります。仕事でウズベキスタンと関わったことをきっかけにして、小松製作所に勤務していた大崎重勝・紀子さんご夫妻が、リシタン市の人々の協力のもとに個人でつくった日本語教室です。紀子学級で育った日本語好きのウズベキスタンの子供達が今年も日本に留学しています。紀子学級についてはとても語り尽くせません。映画が一本出来そうです。

経済分野における技術協力

ウズベキスタンでは、国際テロ組織と結び付いたイスラム原理主義の侵入を防ぐため、社会不安を起こすことの無いよう、一歩一歩ゆっくりしたテンポで改革する漸進主義の政策が採られてきました。

こうした事情から、経済の構造改革についてはなかなか進まず、欧米諸国や国際機関はこの改革の遅れを厳しく非難し、ウズベキスタンへの融資を止めることもしました。しかし、日本はウズベキスタンの政策の採り方を理解し、年数がかかっても安定した社会に基礎をおいた着実な経済改革を支持しました。日本の経済史を振り返ってみても、近代化を遂げるまでには相当に長い年月を必要としています。ましてや七十年以上も社会主義体制に組み込まれ、モノ・カルチャーの経済に支配されていた体制を、社会不安を起こさずに自由化し市場化するには、随分と時間がかかるであろうことは十分理解出来ます。

アフガニスタンにおけるタリバン崩壊後、それまでウズベキスタンに重くのしかかっていた暗雲が少しずつ取り除かれ、二〇〇二年の夏に帰国する頃には社会全体が明るくなったという印象を得ていました。その後、二〇〇三年十月には念願のＩＭＦ八条国に移行し、為替の自由化、価格メカニズムの積極的活用、国有企業の民営化、中小企業の育成などの経済構造改革が着実に進んでいると期待しています。

このような漸進主義を採らざるを得ない状況の中で、ウズベキスタンの経済関係者達は日本の経済発展に学ぼうと、日本から経済政策の指導者が来てくれることを熱心に望みました。

まず、税制についての指導の要請を受けて、石弘光一橋大学経済学部教授（当時）を団長とする第一回税制使節団が一九九六年十二月に派遣され、三回に渡る使節団の派遣を経て、一九九八年夏に「ウズベキスタン共和国における税制改革」報告書が提出されました。この報告書は「石レポート」と呼ばれ、関係者の間では経典のような存在でした。このレポートに書かれていることが目標となり、どこまで実現出来ているかが問われていました。

経済学アカデミーの副学長は、ウズベキスタン側の強い要請により、初代が北村歳治早稲田大学教授、二代目は小口一彦前ＥＢＲＤ（欧州復興開発銀行）中央アジア局長と、日本の財務省出身の方が務めています。また大統領府の建設アカデミー付属ビジネススクールの副学長に早稲田大学から弦間正彦教授が派遣されています。副学長達にはアカデミーの先生方や学生達から全幅の信頼が寄せられており、ウズベキスタンの人々に心から尊敬されています。これらのアカデミーでは勿論ですが、ほかの大学でも、日本から多くの学者や政策担当者を招いて講義や講演会が開かれています。

さらに、経済統計については一橋大学教授の久保庭真彰教授が長年に渡って指導しており、二〇〇二年に五十桁の産業連関表の作成に成功しました。困難な作業はまだまだ続きますが先生も学生達も真剣です。

講義を受けた若者達がウズベキスタンの将来を担っていくことを思えば、このような学問や研究の交流の一層の充実を図ることがいかに大切であるか言うまでもありません。


二〇〇〇年の夏、尾崎護国民生活金融公庫総裁（当時）がヨーロッパで開催されるＩＭＦ世銀総会への出席の途中、奥様とご一緒にウズベキスタンに立ち寄られました。総裁の古くからの知己であるアジモフ経済担当副首相（当時）との会談の中で、小規模金融政策に話が及びました。アジモフ副首相は尾崎総裁の話を熱心に聞き、「これまで自分は欧米の金融政策に学び、小規模金融政策も金融機関の立場で考えてきた。尾崎総裁のお話は全く異なる考え方があることを教えてくれた。中小企業の育成はウズベキスタンにとって喫緊の課題であり是非ご指導願いたい。小規模金融に関する作業部会を直ちに設置するので、貴公庫からそのノウハウを指導してもらえないだろうか」と真剣に頼んでいました。

この時の会談がきっかけとなり、その後、国民生活金融公庫から若い職員が派遣され、ウズベキスタン政府内の作業部会で公庫の持っている貴重なノウハウを伝え、熱心な討議が繰り返されました。さらに、経済学アカデミーでも小規模金融についての講義が続けられました。

国民生活金融公庫といえば、国内金融にのみ関わる組織と思っていましたが、今や建国にいそしむ国々にとって学ぶことの多い存在になっています。

法律分野における協力

二〇〇〇年春、法務省を訪ねました。法務省はブロードウェィと呼ばれる大通りの入り口にあります。

ブロードウェィには車の乗り入れが禁止されています。枝をはった大樹が路を覆い、木漏れ日が行き交う人の顔を照らします。夜中でも人通りが絶えない人々の憩いの場です。道端には出店が並び、焼き鳥やシャシリクを売る屋台からは美味しそうな匂いが漂ってきますし、洒落たテントの下ではコーヒーとアイスクリームを楽しめます。銀細工や手作りの品物を敷物の上に並べる若者、似顔絵を書く絵描きさん。大変人気のあるのがカラオケの店です。僅かな料金を払うとマイクが渡され音楽が流れ思い切り歌うことが出来ます。道端のカラオケですから遠い空まで届きます。時にはその声に魅せられて通りがかりの人々が集まり曲をリクエストしたりしていますが、聞く人も無く一人で大きな声で歌い終わる人が殆どです。それでも大変人気があります。

そのブロードウェイへの入り口の両角に法務省と法科大学が向かい合って建っています。法務大臣からウズベキスタンでの法整備の状況などを伺い、法務省の向かいにある法科大学も見せてもらいました。ウズベキスタンの司法界は殆どこの法科大学の出身者が占めています。学生達は優秀でアメリカやヨーロッパに留学する学生達も多いとのことでした。

法務大臣の説明に加えて法科大学の学長が言いました。「法科大学の持っている教材や図書の中に、日本の物がありません」。確かに、図書館には日本の法律に関する書物は一冊もありませんでした。三階の一角にある大きな部屋にはアメリカから寄贈された法律関係の図書がびっしり並び、アメリカ人の司書の女性もいました。その隣の部屋にはやはりアメリカから寄付されたコンピュータが百台ほども並んでいました。学生達は必ずこのコンピュータを使って学ぶのだそうです。

学長が続けます。「ウズベキスタンは日本の法律、法体系を学びたいと考えています。私達は、家族法の作成に当たり、何とか資料を取り寄せ日本の家族法を勉強しました。何故日本の家族法を選んだかと言えば、日本には温かな家族が沢山存在し離婚も少ないからです。法律の制定に当たって、これまでに日本の法律を基礎としたのはこの一度だけでした。今後、幅広い分野の法整備をするに当たって日本の法制度を参考にしたいと考えています。是非日本の法律に関する文献や法整備に関する支援をお願いしたいのです」

社会の基底をなす法律に関して、日本の資料が何も無いのは誠に残念なことです。早速ＪＩＣＡの新納宏所長（当時）に相談しました。新納所長はＪＩＣＡの持っているノウハウを通して、鮎京《あいきょう》正訓名古屋大学国際教育協力研究センター教授と連絡を取り、支援について相談してくれました。

二〇〇〇年夏、北住炯一前法学部長を中心として、早速名古屋大学法学部研究科とウズベキスタンとの交流が始まりました。留学生を受け入れ、市橋克哉教授をウズベキスタンに長期派遣し、佐分晴夫法学部長も法学教育支援調査のためにウズベキスタンを訪問されました。二〇〇一年以降には研究会や国際シンポジウムが何度も開催されています。ウズベキスタン司法大臣も名古屋大学の招聘により訪日されました。

今年（二〇〇五年）、タシケント法科大学に名古屋大学日本法教育研究センターを設置することが決定され、九月七日にタシケントで開所式が行われました。

シルクロード研究所

二〇〇二年十一月に、平山郁夫東京芸術大学学長からの寄付により、シルクロード研究所がタシケントに建設されました。一般にはキャラバンサライと呼ばれています。展示会場のほか研究者の宿泊施設も備えています。

昨年十二月にこの研究所を訪ねましたら、展示会場にはタシケント州カンカ地方から発掘された十世紀時代の出土品が主に展示されていました。緑色がかった乳白色のガラスの器や大きな素焼きの甕《かめ》など、興味深いものを見ることが出来ます。十世紀当時、この地域で商業が栄えていたからでしょうか、豊富な種類の銅貨が並べられており、隣のケースにはいろいろな形の陶磁器製の貯金箱もありました。

サマルカンド　夕暮れのアフラシアブの丘

第六章

ウズベキスタンの桜

仲間の墓に行ってみたい

二〇〇〇年十月十九日夕刻、宮崎からのウズベキスタン親善訪問団の参加を得て、ナヴォイ劇場とその前庭広場を使って、「日本の祭り」が始まりました。裸電球で照らされた広場には大勢の人が集まり、押し合いへし合いの状況でした。

国際交流基金が派遣してくれた和太鼓「富岳太鼓」の響きは赤みの残る薄墨色の空へと吸い込まれていきました。ウズベキスタン伝統音楽、宮崎からの「木剣《ぼっけん》踊り」と続く出し物を舞台の袖で見ていましたら、「宮崎からのツアーに参加している元シベリア抑留者の方が『相談したいことがある』とおっしゃっています」と秘書のベクゾットさんが伝えてきました。ベクゾットさんは国際交流基金の浦和日本語センターを首席で卒業した日本語の達人です。

宮崎からの親善訪問団には、戦後シベリアに抑留され、その後ウズベキスタンに強制移送され働いていた方々が数人参加していました。ベクゾットさんに声をかけたのは、その中の池田明義さんと鳥原八八《やはち》さん（二〇〇一年十月七日没）でした。直ぐお目にかかりお話を伺おうとしましたが、太鼓や人々の喧騒の中で殆ど相手の声が聞き取れません。舞台から離れて劇場に沿って裏手に回り、やっとお話を伺うことが出来ました。

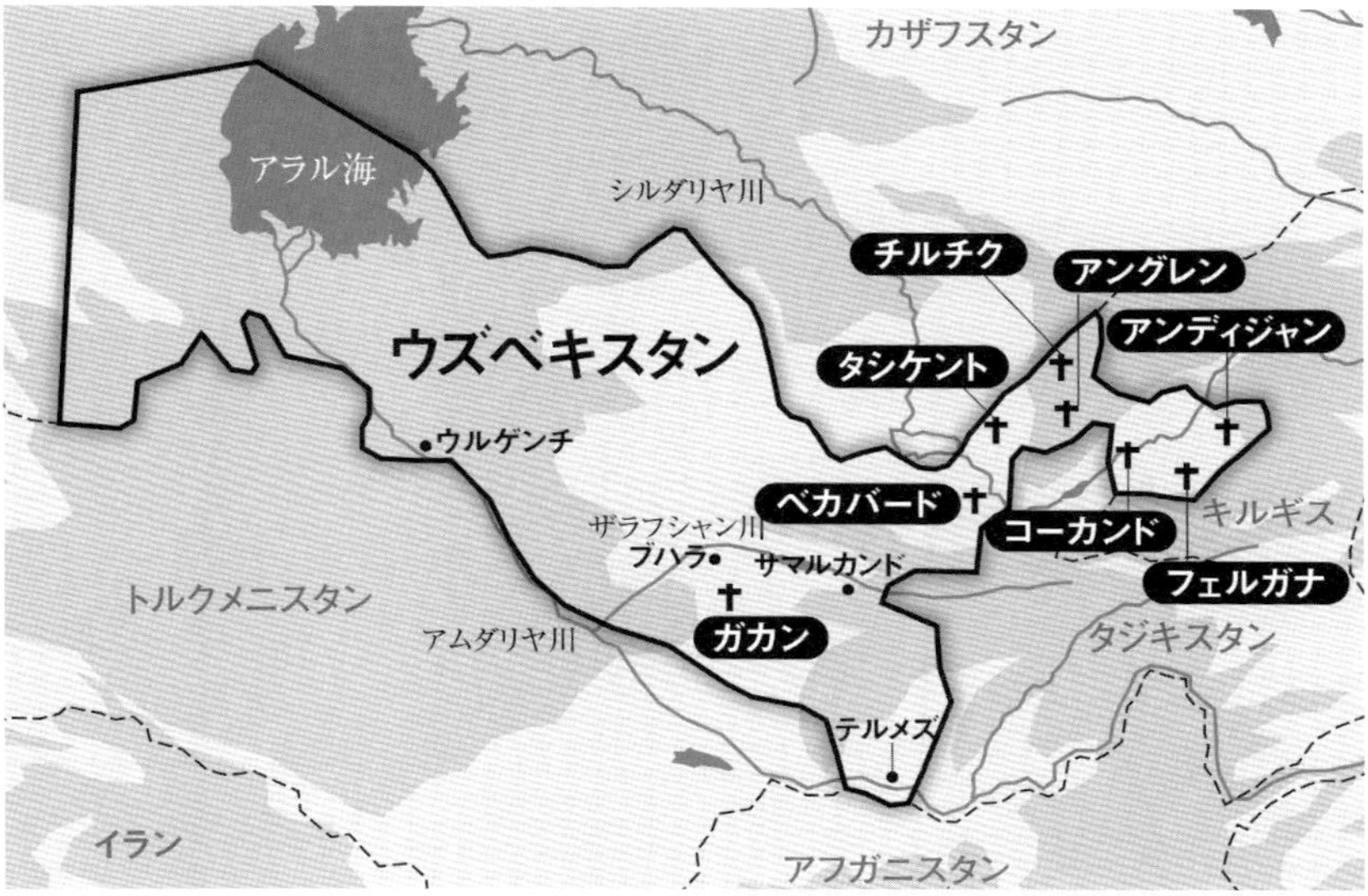

主な日本人墓地所在地

池田さんは「自分はベカバードというところで働いていた。そこには一緒に働いていた仲間のお墓があるはずだ。ぜひベカバードに行ってみたい」、また鳥原さんは「自分はアングレンという町の炭鉱で石炭を掘っていた。そこにもお墓があるはずだ。アングレンに行きたい」とのことでした。

このツアーは翌日タシケントを巡り、翌々日には日本へ戻ることになっていました。行くとしたら翌日しかありません。日帰りですから翌朝早くタシケントを出なければなりません。一緒に苦労した仲間のお墓にお参りしたいという気持ちは痛いほど分かります。折角タシケントまで来ていて、自分が過ごしたところを訪ねずに日本に戻ったらどんなにか心残りのことでしょう。急遽、ベクゾットさんにタクシーと通訳などの手配を頼みました。

彼は祭りの賑わいの傍らであちこちに電話をかけ手筈を整えました。

翌日、通訳は間違いなく務まっただろうか、お墓が見つかっただろうか、などと心配していると、二人とも夕方には無事戻られて話してくださいました。

アングレンに行った鳥原さんは、「かつて自分が働いていた炭鉱はもう閉鎖されていたが、山そのものは昔のままで懐かしかった。また、お墓もまあまあ整備されていてお参りも出来た。ほっとした」と大変喜んでおられました。

しかし、ベカバードに行った池田さんは、「自分達が作った水力発電所は今も立派に動いている。でも、お墓に行ったらとても悲しかった。ベカバードの日本人墓地は、荒れ果てたままになっている」と唇を噛み締めておられました。そして「なんとか、日本人のお墓を整備してもらえないだろうか」と言い残して日本に帰国されました。

日本人墓地に立ち尽くす

文化月間終了後、直ぐにベカバード市を訪ねました。

ベカバード市のジャロリジン・ナスレジノフ市長が、まず水力発電所に

日本人が建設したベカバードの水力発電所と運河

案内してくれました。シルダリアのほとりに建てられた水力発電所の建物は赤レンガ造りの非常に立派なものでした。

シルダリアは、天山山脈から流れ出てアラル海に注ぐ大河です。その川から水を引いて大きな貯水湖を造り、そこから六〜七本の太いパイプで水を落として発電し、使用済みの水は運河で再びシルダリアに戻す仕組みの巨大な発電所です。発電所の建物は勿論、向こう岸が霞むほどの大きな湖も、滔々と流れる運河も日本人が中心になって造ったものです。

ベカバード市長は案内しながらこう話してくれました。

「ベカバードはこの発電所が建てられた当時砂漠でしたが、この発電所や運河のおかげで今は緑豊かな大勢の人が住む町になりました。ここで風速五十メートルを超える突風が吹いた時にも、周辺の建物は全て壊れてしまいましたが、この水力発電所だけはビクともせずに動いていました。五十五年間、毎日、一日も休まずウズベキスタンに電力を供給してくれています」

ベカバード市には、日本人の墓地が二カ所あります。一つは運河のそばに、もう一つは町外れの共同墓地の中にあり、両方で百四十六名が眠っています。

車は共同墓地に向かいました。墓地に着き二人が並んで歩けるほどの曲がりくねった道を進んでいくと、ウズベク人の墓地、トルコ人の墓地、ロシア人の墓地など、それぞれ特色のある墓地が皆綺麗に整備され石塔が立てられ、大小の木々が墓石を取り囲んでいました。しばらく歩いて墓地の中心部辺りまで来た時、目の前が開けて大きな野原が現れました。案内してくれていた人が言いました。

「ここが日本人のお墓です」

一瞬、何のことだろうと思いました。何もありません。空間が広がっているだけでした。十一月のことでしたので、草も枯れて枯野原でした。目についたのは小さな垣根だけでした。中に入りふと足元を見ると、丁度人が横たわっているような盛り土が、幾筋も遥か遠くまで並んでいました。

墓標などありません。ただ、頭の辺りと思われるところにはがきの大きさほどの小さな鉄板がさしてあり、そこには記号と六桁の数字が彫ってありました。誰が眠っているのか分かるように残してあったものなのでしょう。それも所々なくなっていました。

何という風景でしょう。一体どうしたらいいのだろう。

しばらくの間、その場に立ち尽くしてしまいました。

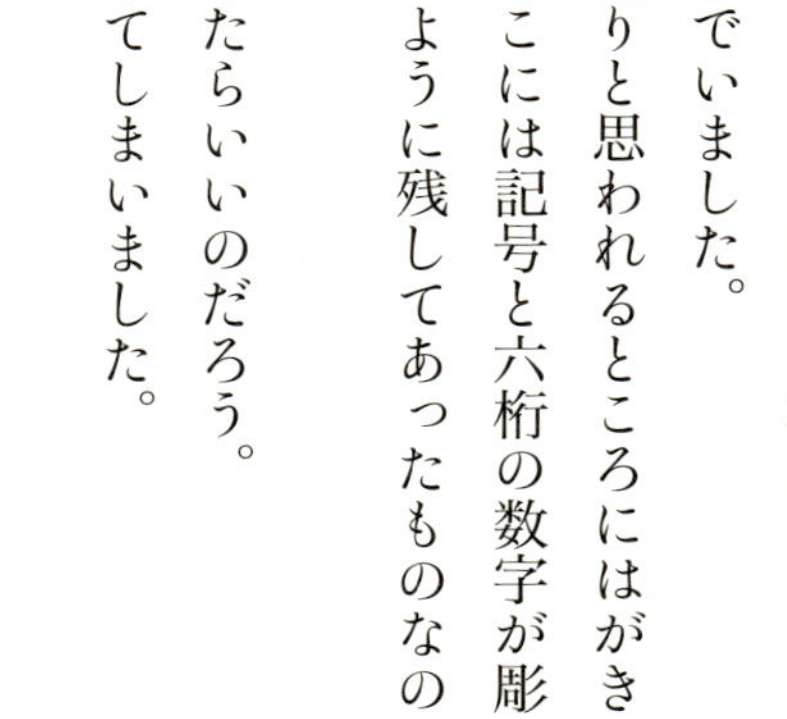

土饅頭の並ぶベカバードの日本人墓地

日本人抑留者の残したもの

ウズベキスタンでは、日本人が働いていた様子が各地で伝えられています。極東から強制的に連れてこられた二万五千人の日本人は、ウズベキスタン全域で強制労働に従事しました。車を走らせていると「大使、この道路は日本人が造った道路だ」と教えてくれることがありました。薄いアスファルトの剥げたところからきちんと敷き詰めた石畳が覗いています。何キロメートルも続く石畳の道路です。

アングレンでは炭鉱の仕事をしていました。アングレン市の市史には、「第二次世界大戦後、この地にやってきた日本人戦争捕虜は、町の建築・整備に大きな貢献をした。彼らと一緒に働いた者達はその勤勉さと几帳面さをいまだに覚えているくらいである。日本人収容所の規律は厳格であったが、現地の住民達は、そのころ珍しかったペン先が金メッキの万年筆を日本人から買ったり、交換したりすることができた」と紹介されています。車でアングレンに入ると雪をいただく山々に囲まれた美しい田園風景が続きます。鳥原さんがこの景色をしっかり覚えていたのも頷けます。この美しい田園の中に大きな火力発電所が建てられていて黒い煙をもくもくとたなびかせてい

墓標代わりの鉄板には記号と
６桁の数字が彫られていました

ました。

州や市の庁舎として使われている建物の中にも日本人が建設したものが多くあります。学校として使われているものもあります。日本人が建設したタシケント郊外チルチック市のアパートを早稲田大学の北村歳治教授と訪ねました時には、そこに住むライサ・エゴロヴナ・ザドンスカヤさんが話してくれました。

「十二歳の時このアパートに引越してきた。このアパートは日本人が建てたものなので強くて安全だ。あそこの運河も日本人が造ってくれたものだ。もっこを背負って、腰を曲げて土を運んでいたのを覚えているよ」

その方はこのアパートの建設は一九三九年だと主張しました。北村教授と、戦後のものではないとするとノモンハン事件と関係があるのかもしれないと話し合いました。

帰路、アパートから二百メートルほど離れたところにある運河にかかる橋の上に車を止めました。両岸には木が生い茂り流れる水に影を落としていました。たっぷりと水が流れ、運河に沿って農地が何処までも広がっていました。

日本人が掘った運河はウズベキスタン各地で見ることが出来ます。運河の途中には小さな水力発電所も建設されています。どの地方を訪れましても、日本人が働いていた様子が語り継がれており、日本人は勤勉だった、規律正しい人達だ、嘘をつかない人々だったと教えてくれます。

首都タシケントではナヴォイ劇場を日本人が建設したことはよく知られており、その当時の日本人を語る逸話も伝えられています。金融機関に勤めていた方の話です。

「子供の頃、日本人が入っていたラーゲリ（収容所）の近くに住んでいた。日本人は毎朝、挨拶をし隊列を組んで仕事場に出かけていった。夕方また隊列を組んで戻ってきた。ある時お腹が空いていることだろうと思って、友達とラーゲリの垣根の壊れたところからパンと果物を差し入れた。そうしたら二、三日後に、手作りのおもち

チルチック市の、日本人が建設したというアパートを北村早稲田大学教授と一緒に訪問。建設当時を覚えているライサさん（中央）と。
「このアパートは、古くはなっているけれど、冬でも暖かい。私が小さい頃、アパートの窓から日本人が運河を造っているのをよく見ていました。彼らは手掘りで運河を造っていました」とライサさんは話しました。

やが置いてあった。親から、『日本人は規律正しい人々だ。勤勉で物を作ることがとても上手な人達だ。そしてお返しを忘れない律儀な人々だ。あなたも日本人を見習って大きくなりなさい』と言われて育てられた」

ウズベキスタンでは、かつての抑留者一人ひとりの振舞《ふるま》いがウズベキスタンの人々に深い感銘を残し、日本人というイメージが作られています。戦後この地で強制労働に従事した日本人がその日々の生活を通して残した貴重なものが、今の日本に対する信頼を形成する上でどれほど貢献していることか。苦しい抑留生活の中でも規律正しく、優しさを失わなかった日本人に心から敬意を表し、心から感謝したいと思います。

日本人墓地を守ったウズベキスタンの人々

日本大使館では、それまでもウズベキスタンにある日本人墓地についての調査を行っていましたが、その実態を完全には掴みきれていませんでした。

日本人墓地については、ソ連時代の一九五五年に、一共和国につき日本人墓地は二カ所と決められ、それ以外は潰して更地にするようにとの指令がモスクワから出されました。その指令の下、ウズベキスタンではコカンドとカガンの二カ所の墓地が整備され、墓守を置いて大事に守ってくれていました。

コカンドの墓地の入り口には、日本人のお墓らしくしようとしたのでしょうか、小さな赤い鳥居が建てられていました。写真を見て作ったのでしょう。丸太ではなく平たい板で鳥居の形が作られています。墓地の側面にはここに埋葬されている人々の名前を書いた長い板が立っていま す。一人ひとり墓石が置かれ、周りの砂は綺麗に掃き清められています。花を置く石製のポットが幾つも墓石を囲み、いつも花が置かれています。

この二つの墓地のほかに、タシケントとアングレンにある日本人墓地は、ウズベキスタンと交流を続けている福島県ウズベキスタン文化経済交流協会の支援により整備され鎮魂の碑も建てられています。

この福島県ウズベキスタン文化経済交流協会は、会長の伊藤司さんが福島医科大学の学長をなさっていた頃、ウズベキスタンから親善使節として福島県を訪問したアサドフ・ダミンウズベキスタン保健省副大臣（当時）から医療交流の要請を受け、タシケント市からの医師の研修受入れを行ったことがきっかけで設立されたものだそうです。交流は一九七九年に始まり、一九八三年には「交流に関する議定書」も締結され、同協会は親善使節の相互交換、留学生の受入れ、医療関係者の交流

掃き清められ整然と並ぶ墓石

コカンドの墓地の赤い鳥居

などを行うとともに、ウズベキスタンにある日本人墓地埋葬者の遺族調査や墓参などを続けてきました。

二〇〇〇年秋の時点で整備されていた日本人墓地はこの四カ所のみで、それ以外のところは未整備のままでした。しかしウズベキスタンの人々は、ソ連時代、日本人墓地を潰して更地にするようにという指令が出ていたにも関わらずその指令を無視して日本人墓地を荒らさずに守ってくれていました。整備こそ出来ないまでも、ここには日本人が眠っているのだからと、草が茂れば草刈りをしてくれたウズベキスタンの人々の友情と祖先を大切にする優しい心に感謝しています。

タシケントの日本人墓地では、墓守りのフォジルオタさんが毎朝八時頃に、箒でお墓のまわりを一基ずつ丁寧に掃き清めている姿を見ることが出来ます。墓地にはいつも綺麗な箒目が立っています。その仕事は彼の父親から引き継いだもので、五十年以上昔から墓守りを続けているとのことでした。

フォジルオタさんの話では、日本人達は墓地の裏手を走っている鉄道を造っていたそうですが、近くに病院があり、そこで亡くなった日本人を敬虔なイスラム教徒だった彼の父親が埋葬し、それ以来お墓を管理するようになったということです。そして彼にこう教えたと言います。

タシケントで日本人墓地を守る
墓守りのフォジルオタさん

「民族が違っても人はいつも仲良くしなければならない。遠く離れたこの土地に連れて来られ、強制労働をしなければならなかった日本の人々には何の罪もない。だから、ここで亡くなり故郷に帰れなかった日本人の世話は、ここに住んでいる自分達がやらなければならないのだ」

一九九一年にウズベキスタンが独立してタシケントの墓地も整備され、彼には月に一万五千スム（当時約千五百円）の手当が支給されるようになりましたが、それまで全く無償でした。彼は言いました。

「自分自身、父のようになりたいと思っているし、私の息子もまた日本人のお墓の管理を手伝ってくれている」

お参りしてくれて有難う

ベカバード市の日本人墓地を訪れた後、市長さんが連れていってくれたのは、日本人のことをとてもよく知っているという九十歳になる老人が住んでいるお宅でした。ウズベク風の塀に囲まれた家に入りますと、そのおじいさまを囲んで、子供達、孫達、そして曾孫達と、とても賑やかで、温かな和んだ雰囲気のご一家でした。子孫が繁栄

ナヴォイ劇場建設当時の写真

館内には貴重な資料が多数展示されています

館長のスルタノフさん（右）と

日本人抑留者資料館 AYA

タシケントの日本人墓地のすぐ近くにあるこの資料館は、館長のスルタノフ・ジャラロビッチ氏が集めた資料を公開しているもの。日本人抑留者が建設に携わった建築物や運河、水力発電所などの資料のほか、抑留者の手による絵や陶器なども展示されています。展示物の中には、当時一緒に働いていたウズベキスタンの人が赤ん坊を背負いながら仕事をしている光景を見て、日本人が作ったという揺籃も。スルタノフ氏は当時の日本人が映っている映像も所有。ウズベキスタンの旅行会社やウズベキスタン国営航空の機内で上映されているそうです。

思い出の肖像画

ウズベキスタンには日本人抑留者との交流を
記憶する人が少なくありません。

コカンドの病院で医師をしていたエヴィゲニア・ダニロヴァさん（右から二人目）は手ぬぐいに描かれた肖像画を大切に保管していました。
「日本人の患者が自分と兄の肖像画を描いてくれた。お元気でいるだろうか。お会いしたい」
右端はコカンド市長。

日本人抑留者が手ぬぐいに描いたエヴィゲニアさん兄妹の肖像
裏には「9505」と抑留者に与えられた番号が記入されていました

しているということを実感出来るお宅でした。

おじいさまの隣に腰を下ろして、お茶をいただきながらお話を伺うことになりました。開口一番、まず「お墓にお参りしてくれたのか」と聞かれました。「今、行ってきました」と答えましたら、「あそこに眠っているのは、自分の大切な友達なんだ。どうも有難う。お参りしてくれて有難う」と言われました。

このおじいさまにとってお墓で眠る人々は、日本人である前に大切な友人だった……。「日本人のことを覚えていらっしゃいますか？」と尋ねると、こんな答えが返ってきました。

「それはもう、よく覚えているよ。自分は若い頃タシケントに住んでいたが、ベカバードに水力発電所を造ることになり、ここで働くようにと言われてやってきた。それで、日本人が来るのを待っていたんだ。最初三百人ほどが到着した。するとびっくりしたことに、直ぐに仕事を始めたんだよ。その後からどんどん増えて三千人ほどになった」

おじいさまの話は続きました。

「日本人っていうのはとってもいい人達だった。几帳面で、自分の仕事をとても大切にするんだ。時間がきても仕事が終わらなければまだ続けている。うまくいかない時にもいろいろ工夫してやり遂げる。また、誰かが病気になるとみんなで助け合っていた。日本人が作るものは全ていいものだった。本当にすごい人達だった。とても大切な友達だったんだ」

おじいさまからいつも日本人の話を聞かされて、その家族も町の人々も皆日本人のお墓は大切にしなければいけないと思ってきたそうです。整備するだけの余裕はなかったけれど、草を刈ったり掃除をしたりして日本人墓地を大切に保存してくれていました。

おじいさまのお宅を辞して市役所に立ち寄りましたら、長年市役所に勤める女性が、「ベカバード市の墓地を訪ねた日本人が置いていったものを預かっているのでお見せしたい」と言いました。その方はこれまでたまに日本から訪ねてくる遺族を墓地に案内したりこまごまとした世話をしてくれていましたので、墓地を訪ねた遺族が日本から持ってきたものを置いていったのでしょう。その中にセピア色の年配の女性の写真がありました。この地に眠る抑留者の兄弟が母親の写真を届けたものでしょうか。母親が兄弟に持たせたものでしょうか。

その日はそのまま帰りましたが、「どうしたらいいのか。なんとかしなければ……」その思いが消えることはありませんでした。

日本とウズベキスタンで広がった好意の輪

公邸に戻り、夫中山成彬に電話を入れ相談しました。

墓地の状況を説明しましたら、中山も「うーん」と黙り込んでしまいました。

「誰もがお参りに行けるように整備したい。いったいどうしたらいいだろう」

墓地整備を大使館の仕事と捉えることが出来るだろうか。大使館の中で議論しました。いろいろな考えが出されましたが、大使館としても関わる問題だとの意見でまとまりました。若い中村真一郎書記官（当時）がこれまでの資料を集め、墓地の現地調査、亡くなった方々の名簿の調査など地道な仕事を進めました。中村書記官はウズベク語の専門家です。ウズベク語しか通じない地方での調査はほかの人では出来なかったことでしょう。さらに中島範彦書記官（当時）が資料作成を手伝い始めました。若い書記官達が自分達の祖父の年齢を超える抑留者の墓地のために力を尽くしている様子を見て心から嬉しく思いました。日本の若者も期待出来るとこの時強く確信したものです。

翌二〇〇一年には、中山が中心となって日本で募金活動が始まりました。ウズベキスタンとつながりがあり関心を持つ方々が委員となり、「日本人墓地整備と鎮魂の碑建設発起人の会」が設立されました。東京の中山成彬衆議院議員事務所に、週二日ほど梅山富弘さんがボランティアとして入り、全国にあるウズベキスタン関係の団体や元抑留者、経済界の方々と連絡を取りながら募金活動を進めました。宮崎県では多くの人々がウズベキスタンを訪問し実際の状況を知っていたこともあり、多額のご芳志が集まりました。こうして、全国で約二千万円（うち宮崎だけで約一千万円）を超える募金が集まりました。

また、具体的な墓地整備については、既にタシケント市とアングレン市の墓地整備の経験を持つ、福島県ウズベキスタン文化経済交流協会の伊藤会長と宍戸利夫事務局長に協力をお願いしました。伊藤会長は直ぐに「それはやらなければいけないね」と賛同し、引き受けてくださいました。この言葉を聞いた時ほっとし、心の中でその温かさに感謝しました。宍戸事務局長は、早速、鎮魂の碑や抑留者記念碑の作成など具体的な作業に取り掛かってくださいました。

さらに、ベカバード市の墓地の悲しさを教えてくれた宮崎市在住の池田さん、ウズベキスタンを何度も訪問し、ベカバードやチュアマなど各地の墓地整備に尽くしてこられた東京の加藤金太郎さん、大阪の植田彪さん、山口君雄さんなど元抑留者達が動きだしてくださいました。全国に散らばっている元抑留者と連絡を取り合い、意見を出し合い、どのように進めたら良いか話し合ってくださいました。

たぶん父にとって一番幸せだろう

実際に墓地の整備作業にかかる前に、まず、埋葬者の遺族の意思や考えを確認することが必要でした。

最終的な埋葬地としてウズベキスタンでいいのか、日本に遺骨を持って帰りたい人もいるのではないかなどについて関係者と話し合い、連絡を取り合いました。

抑留者や遺族を探し出すのは大変困難な作業でした。当時（二〇〇〇年）で、戦後五十五年も経っているのですから、亡くなった時二十五歳だったとしても八十歳、多くはそれ以上になっているはずです。本人がそうですから亡くなった方の両親はまず見つかりません。兄弟、結婚していれば妻や子供を見つけなければなりません。

遺族を探していく中で「父の遺骨をどうしても日本に持って戻りたい」と言う方が見つかりました。とりあえず現状を見てみたいとのことで、ほかの元抑留者の方々と一緒にウズベキスタンにお見えになりました。

墓石一つ一つに一輪の花を手向けて

その方は日本を出発する時に遺書を書き、家族と水杯を交わしてきたそうで、ウズベキスタンはシベリアよりもさらに奥、遠い彼方の国というイメージだったのでしょう。「決死の覚悟で出てきました」とおっしゃっていたのが印象的でした。

その方の父親のお墓はコカンド市にありました。さっそくコカンド市を訪ねお墓にお参りしたそうです。あの赤い鳥居のある墓地です。タシケントに戻って直ぐに話を聞きました。

「ウズベキスタンまで来て本当に良かった。父はここで眠るのが一番幸せだと思いました。お墓を訪ねたら大層綺麗になっていた。お花を飾ってくれていたし、箒の目まで立っていた。そして、周りにいたウズベキスタンの人々に話を聞いたら、みんなが『ここで働いていた人達は本当に優れた人達だった。尊敬している。だからお墓を守っている』と話してくれた」

その方は言葉を続けました。

「父が、みんなに、こんなにまで温かく見守られているとは思ってもいませんでした。父の遺骨を日本に持って帰るために、兄弟で少しずつ貯金をしてきました。でも、日本に帰ったら、兄弟達にきちんと話をして納得してもらいます。父はきっと、ここで仲間達と一緒に眠るのが一番幸せなのだろう……そういうふうに感じたからです。そして、貯めてきたお金は代わる代わるお墓参りに来るのに使いたいと思います」

こうして、元抑留者や遺族の方々の間では、「遺骨を日本に持ち帰るより、戦友達と一緒に、ウズベキスタンの人々に温かく見守られながら、ここで眠るのが一番いいだろう。それに反対する人は関係者の中にはいないだろう」という結論になりました。そこで、やっと墓地整備に踏み切ることになりました。

各地の日本人墓地整備

墓地整備開始の目処がついた頃、ウズベキスタン政府に日本人の墓地の整備をしたいとお願いしました。スルタノフ首相（当時）から直ぐに答えが返ってきました。

「ウズベキスタンで亡くなった方のお墓なのだから、日本人墓地の整備は、日本との友好関係の証としてウズベキスタン政府が責任を持って行う。これまで出来ていなかったことは大変恥ずかしい。さっそく整備作業に取り掛かります」

その言葉どおり、対外経済関係省が中心となって、墓地整備の作業が始まりました。エリヤル・ガニエフ対外経済関係大臣（当時）は自らそれぞれの墓地を見て回り、道のないところには車が通れる道を造り、小高い丘の上の墓地には階段を造ることを決めました。ご一緒しましたが、それはそれは熱心に指示を出されていました。ベカバード市の墓地整備はベカバード市に所在する国営鉱山会社のアレキサンドル・ファルマノフ社長が中心となって進めてくださいました。

各地に散らばる日本人墓地では、それぞれの地域の住民達が集まって石を切り出し、磨き、垣根を作り、墓石の周囲になるべく雑草が生えないように砂利を敷き、丁寧に作業を進めてくれました。政府の声がかりがあるとはいえ、住民のボランティアの部分も多くありました。あるところでは、村の人々が記録に載っていない場所に「日本人のお墓があるよ」と教えてくれました。その墓地も村の人々が整備しお花を供えてお参りしていました。

整備に必要な費用は全て負担するつもりでいましたが、経費のことを話そうとしてもウズベキスタン政府には全く受け付けてもらえませんでした。

前例のないケース

この墓地整備は民間の募金や協力で進められましたが、勿論、厚生省（現厚生労働省）には逐次この状況を伝え対応について相談していました。元抑留者の方々も厚生省に説明をしてくれましたし、厚生省の担当者もウズベキスタンに足を運んでくれました。

それにしても、相手国政府が積極的に日本人墓地を整備するケースは初めてだったそうで、最初はなかなか信じてもらえませんでした。

「ほんとに、ウズベキスタン政府が日本人墓地を整備すると言っているのですか？」

「ええ、ウズベキスタン政府がそう言っています」

「そんなことはあり得ない」

「でも、整備すると言っています」

そんなやりとりが何度か続いて、ようやく「であれば、進めてください」ということになりました。

墓地の問題は人の心の問題であり心の機微に触れるものですから、大変注意深くしなければと心に決めていました。これまで墓地や遺骨の問題について経験のない者にとって厚生省の示唆、忠告は大変有難いものでした。

こうして、厚生省の了解も得て墓地整備がスタートしましたが、ウズベキスタンでは一旦作業が開始されると、それぞれの地域で大勢の人々が作業に参加し、整備は大変なスピードで進

鎮魂の碑の除幕式に
集まってくれた
ウズベキスタンの人々

みました。

宮崎から池田さんがウズベキスタンを訪問して、何とかしなければならないと教えてくれたのが二〇〇〇年秋のこと。二〇〇一年に募金活動がスタートし、二〇〇二年春には全ての墓地整備が完了し、白い墓石が並び何時でもお線香をあげてお参り出来るようになりました。それぞれの墓地に「鎮魂の碑」、四つの市に「抑留者記念碑」も建立されました。多くの方々のご協力がありました。ご尽力下さった全ての方々に心から感謝しています。

二〇〇二年の五月、鎮魂の碑と抑留者記念碑の除幕式に日本から麻生太郎日本・ウズベキスタン自民党友好議連会長、中山成彬同事務局長はじめご遺族、元抑留者、ボランティアなど多くの人々がタシケントに集まりました。さらに三つのグループに分かれて、各地にある全ての墓地を訪ね、花を供え、お線香を焚いて、時には日本酒を注いでお参りしました。誰からともなく「ふるさと」の歌が流れ、全員が声を合わせました。どなたの頬にも涙が伝っていました。

鎮魂の碑の除幕式での麻生会長とガニエフ大臣（当時）

中山事務局長と鎮魂の碑

お礼のコンピュータ

　この墓地整備プロジェクトはウズベキスタン政府と各地方の全面的な協力がなければ実現出来ないものでした。鎮魂の碑や抑留者記念碑の費用は日本で集まった募金で賄いましたが、実際に石を切り出し、墓石を磨き、道を造り、桜を植えてお墓の世話をしてくれているのは地元の人々です。

　ウズベキスタン側はそうした作業にかかる費用について、本来、自分達がやるべきことだからと一切受け取りませんでした。そのような様子を見て、それではと「日本人墓地整備と鎮魂の碑建設発起人の会」は、地域の人々に喜んでもらえることは何かを話し合い、墓地整備のためとして全国から寄せられた募金で、十三カ所の日本人墓地のある地域の学校に日本製のコンピュータを寄付することを決めました。

　早速ウズベキスタンで手に入る日本製のコンピュータを購入し、十三カ所の日本人墓地のある地域の学校に贈りました。このプレゼントを教育熱心なウズベキスタンの人々が大変喜んでいると伝え聞いています。

桜

墓地整備の話が少しずつ進んでいる最中でも、ベカバード市の墓地を初めて訪ねた時の寂しい光景を忘れることはありませんでした。

亡くなった当時、ほとんどが二十代、三十代の若者でした。何とかして日本に帰ろうと耐えていたことでしょう。日本を思って毎日を過ごしていたに違いありません。帰郷がかなわず五十数年間訪ねる人もないまま、日本から遠く離れたウズベキスタンの地で眠っているのです。

2005年3月に訪れた時、植樹した桜のいくつかは花をつけていました

周囲の墓地には、木が大きく育ち墓を守っています。野原のような殺風景な日本人墓地に立った時、ここに桜を植えたいと強く思いました。春になれば綺麗な花を咲かせてくれるだろう。何年か経てば太い枝が墓を覆ってくれるだろう。きっと異国の地に眠る霊達も喜んでくれるに違いない。自己満足にすぎないかもしれないが、桜の木を植えられないだろうかと考えました。

そこで、集めていただいた募金の一部を桜の苗木に使えないかと、中山を通じて「日本人墓地整備と鎮魂の碑建設発起人の会」に相談しました。元抑留者の方から「抑留されていた頃、もう一度日本に戻って桜の花を見たいと思って頑張った」という話も出て、委員全員が大賛成だったそうです。代々衆議院議長が会長を務める「日本桜の会」のご支援もいただきました。桜の苗木の購入から発送まで随分と厄介なことだったと思いますが、梅山さんが全ての手配を「発起人の会」の仕事として進めてくれました。桜のためにといって追加の寄付をしてくださる方もいたそうです。

ウズベキスタンでも呼応するかのように、素晴らしい提案がありました。コジン・トゥリャガノフタシケント市長（当時）からの「建設中のタシケント市の中央公園を日本の桜で埋められないだろうか」という提案でした。トゥリャガノフ市長は日本を訪問したことがあり、日本で満開の桜を見て感激し、いつかタシケントに桜の公園を造りたいと思い続けていたそうです。

当初は、墓地だけに植えるつもりでしたから、二百本か三百本ぐらいの苗木を準備すればいいだろうと思っていましたが、そうなると話は別です。一千本以上の桜の苗木を準備しなければならないことになりました。

一口に桜を植えるといっても、ウズベキスタンの土壌で日本の桜が育つのか、どんな種類の桜を何本揃えたらいいのか、植樹の時期は何時が良いか、素人では分かりません。途方にくれていましたら、幸運なことに、ウズベキスタンの農業高校の先生方を指導するために、ＪＩＣＡ（国際協力機構）から派遣された二人の先生方がたまたまこの時タシケントに滞在していました。小野健一先生と磯静先生です。

天の恵みと思い、桜の植樹を手伝ってくださいとお願いしました。真剣でした。びっくりされたとは思いますが、そこは農業の専門家であり造園の専門家です。桜をこよなく愛している方々でしたので、無理を承知で引き受けてくださいました。このお二人がいなかったら、ウズベキスタンでの桜の植樹は成功しなかったことでしょう。

お休みの日や授業を終えた夕方、タシケント市の担当者とともに、凍てつくような寒さの中、公園や周囲の土地を実測し、地図を作り、土壌を調査し、植樹の種類別配置、苗木の種類別本数、輸送計画、受け取り後の苗の管理のあり方など、こと細かな「桜の植栽計画」を立ててくださいました。

計画に従い、二十七種類、千三百本の桜の苗木、さらに梅と桃の苗木百本、計千四百本の苗木を植えることになりました。中央公園に六百本、そこに通じる大通りに二百五十本、慰霊碑建立の庭に三十八本、大統領官邸に百本、日本大使館に三十本、対外経済関係省に十五本、ナヴォイ劇場に三十本、日本庭園に二十本、予備のため植物園に百本、そして各地の日本人墓地にそれぞれ十〜三十本。合計千四百本。この大規模な桜の植樹はウズベキスタンの国家事業となりました。大使館の林朋幸書記官

（当時）はこの一連の動きを辛抱強く支え、日本と連絡を取り、ウズベキスタン政府と緊密な打ち合わせを続けました。

二〇〇二年三月五日、ついに桜の苗木が空路日本から届きました。その苗木を受け取りに、ウズベキスタンの日本人墓地のある各地から担当者がタシケントに集まってきました。夜通し車を走らせてきた人もいました。その担当者達に、小野先生、磯先生、その後赴任された遠藤剛先生の三人の先生方は、植え方や手入れの仕方を丁寧に教え桜の苗木を渡していきました。担当者達は少しでも早く植えなければいけないと、受け取った後、直ぐにタシケントを出発し夜を徹して持ち帰りました。どなたも一生懸命でした。ウズベキスタンの日本人墓地への桜の植樹プロジェクトは、まさにウズベキスタン全国の人々に支えられて成し遂げられました。

桜の植樹

中央公園での植樹祭は、二〇〇二年三月六日午後一時から行われました。植樹祭の模様は、小野健一先生が御著書『百十二日間のウズベキスタン』に詳しく紹介されています。また、磯静先生が『林業いばらき』

中央公園の桜（2005年3月）

に「ウズベキスタン共和国桜植栽プロジェクト」と題して詳細な記録を認めてくださっています。

記念植樹の後、植栽計画の図面に従って、染井吉野、紅枝垂れなど二十七種類の桜の苗木が次々と植えられることとなりましたが、大変な作業でした。ボランティアの在留邦人の方々が、小野先生、磯先生、遠藤先生の三人の先生方とＪＩＣＡの青年海外協力隊員としてタシケントに派遣されていた造園家小林欣也さんの指導を受けながら、苗木に付いている日本語の付表を見て仕分けし、ウズベキスタンの人々とともに泥んこになって植樹しました。中央公園に沿って走る幹線道路の両側の道端にも四百メートルにわたって植えました。ナヴォイ劇場の庭にも染井吉野や枝垂れ桜、八重桜を植えました。大統領官邸はじめ政府の施設の庭の植樹はウズベキスタン政府が担当しました。この日、タシケント市は日本からの桜の苗木の植樹で持ちきりでした。

全体の動きの指揮をとっていた林書記官が大使館に戻ってきた時の様子は今でもよく覚えています。椅子にくたっと座り込んでしまいました。疲れ切って放心状態でした。しばらくしてやっといつもの明るい笑顔が戻り、大仕事をやり終えたほっとした表情が何とも言えず美しく思えました。

翌日から、中央公園に植えられた桜には、二十四時間体制で桜守りと呼ばれる監視

大使館の桜（林書記官から届いた写真）

員が付けられています。この公園の近くに住むアジモフ副首相（当時）が、夜、考えごとをしながら公園の中を歩いていて誰何されたという話を伺ったことがあります。今この公園は「さくら公園」と呼ばれているそうです。

昨年（二〇〇四年）、「日本大使館の庭に植えた桜がまだ幹は細いながら美しい花をつけました」と、染井吉野と枝垂れ桜の写真が林書記官から届きました。健気に咲く桜の花を見て感無量でした。

中央公園での桜の植樹祭で、「桜は十五年、二十年かかって美しくなります。日本では春に桜が咲きますと、その下で宴を開いて桜の花を楽しむお花見の習慣があります。二十年後に私は皆様にここでお目にかかり、一緒にお花見をしたいと思っていま す」と、ウズベキスタンの人々に二〇二一年のお花見の約束をしてしまいました。二十年先はさすがに少し遠すぎますが、後十年もすればどの木も春には綺麗な花を咲かせることでしょうから、その頃にはウズベキスタンを訪ねたいものと思っています。

ウズベキスタンの春の訪れは日本よりやや早く、染井吉野が満開になるのは三月半ば。まずウズベキスタンでお花見をし、日本に戻って日本の桜も楽しめるはずです。その日を心待ちにしています。

遠くウズベキスタンの地に多くの人々の協力で植樹された桜が無事に育ち、ウズベキスタンと日本の友好のシンボルになることを願っています。

第七章

未来を見据えて

テロと隣合せで生きる人々

タシケントにおける同時多発テロ

一九九九年二月十六日、ウズベキスタンの首都タシケントで、イスラム原理主義グループによる同時多発テロが起きました。タシケント市の中心部、独立広場にある政府の建物や経済の象徴である銀行の建物、レストランなど五カ所が同時に爆破されました。アメリカを襲った同時多発テロ（二〇〇一年九月十一日）の二年半ほど前の出来事です。

最初の爆発の仕掛けは午前十時四十分にセットされ、タシケントのムスタキーリク・スクウェア（独立広場）にある映画館やナイトクラブの入っている建物の横に駐車していた車が爆発しました。その後、同じく独立広場近くの治安関係者が勤務する内務省に十時五十五分に車が突っ込み爆発し、閣僚会議や財務省が入居している建物は十時五十八分、経済の象徴であるウズベキスタン国立銀行は十一時二十分、キャラバンレストランが十二時と、一時間半にも満たない短時間のうちに五カ所で自動車の爆発が続き、ビルや家屋が崩れました。十九人が死亡、百三十人が負傷するという惨事になりました。

私が着任したのが一九九九年八月でしたから、この同時多発テロ事件から半年ほど経っていましたが、それでも当時ウズベキスタンの人々は、自動車ごと自爆するという想像を超える同時多発テロに「大きな衝撃を受け、底知れぬ恐怖を感じた」と、生々しく語っていました。

この事件の後、治安関係者はテロの取り締まりを強化しました。ヨーロッパやアメリカからは取り締まりが厳しすぎる、人権が軽んじられていると非難を受けましたが、ウズベキスタンの人々はこの時の恐怖が非常に大きかったからでしょうか、政府の取り締まりに協力していました。検問が厳しくても、少しぶつぶつは言うものの「テロが起きることを考えれば仕方無い」というのが一般的な意見でした。

この同時多発テロを起こした犯人達は、アフガニスタンから入り込んできたプロのテロリストでした。この同時多発テロの詳細はオレグ・ヤクーボフ著『The Pack of Wolves –The Blood Trail of Terror』（一九九九年、二〇〇〇年英訳）に記されています。タシケントの同時多発テロに関与した犯人グループのテロリスト達の名前や顔写真も一般に公開されました。アリアス・ハタ、オサマ・ビンラーデン、ターヘル・ヨルダシェフ、ジュマ・ナマンガニーなどなど。この中にはニューヨークで同時多発テロを起こし、アメリカが現在も追っている人々も含まれています。

IMT（トルキスタン・イスラム運動）

ウズベキスタンは国際的テロリストの動きに関連して、悲しい現実を抱えています。一九九〇年代後半、経済的にまだ貧しく、学校を卒業しても就職出来なかったり、安い給料しか稼げないウズベキスタンの若者達がイスラム原理主義組織アルカイダからの誘いに乗り、数多くアフガニスタンに送り込まれました。当時、ウズベキスタンの若者達は、麻薬取引などで資金的に豊かなイスラム原理主義組織から受け取ったお金を家族のために家に置き、アフガニスタンに向かうのだと言われていました。

特にウズベキスタンの東部に位置するフェルガナ地方のアンディジャン州、ナマンガン州、フェルガナ州の三つの州は企業誘致などがあまり進まず、経済面で取り残された地域となっています。この地域は黒い土壌のある肥沃な土地ですが、ウズベキスタンの全人口（約二千五百万人）のうち約七百万人がこの地に住んでおり、人口が密集して貧しい家が多く、ここから多くの若者達がアフガニスタンに連れて行かれました。またウズベキスタンからだけでなく世界各地からも若者達がアフガニスタンやチェチェンに集められたと言われています。

連れて行かれた若者達は、アフガニスタンの山の中で朝はコーランを読み礼拝をし、そのほかの時間は射撃の訓練と戦闘訓練を行う日々を過ごすとのことです。ここで戦闘訓練を受けた若者達は四千メートルを超える山岳地帯でも戦うことが出来るほどに鍛えられ、人を殺すことや自爆することも神の教えに従うものであり神が喜ぶことであると信じ、テロを使命と考えるテロの実行部隊に育って行きます。

ウズベキスタンでは若者達が連れ去られることを防ごうと教育に力を入れました。ウズベキスタン政府の人々は「テロに対して銃はいらない。最も大切なものは教育である」と言います。

子供達がテロリストグループに引き込まれないだけの知識を身に付け、自身で正しい判断が出来るようにしっかり教育しなければならない。そして職業に就くための技術を身に付ける教育が何より必要だ。そうすれば、子供達がテログループに引き込まれることもなくなり、平和で、豊かな生活を送れるようになる……ウズベキスタンの人々はそう考えているのです。

現在、ウズベキスタンでは子供達がアフガニスタンに連れ去られることは防げたとみられていますが、アフガニスタンで訓練を受けたプロのテロリスト達が既に多数育っており、アフガニスタンやイラクで、また世界の至るところでテロ活動を行っています。

さらに第二章でも述べましたが、アルカイダの支援を受けるＩＭＴの武装グループがウズベキスタン国内にイスラム原理主義国家を創ることを目標としており、毎年、雪溶けを待って四千メートル、五千メートル級の山岳地帯を越えてウズベキスタン目指して侵攻してきます。ＩＭＴの最高指導者はフェルガナ地方ナマンガン州出身のタ－ヘル・ヨルダシェフであり、一九九九年の夏、アフガニスタンからタジキスタンを経てウズベキスタンに向かう途中、日本人鉱山技師四人を拉致したＩＭＵ（ウズベキスタン・イスラム運動。二〇〇一年六月頃ＩＭＴに改名）武装グループの頭領ナマンガニーもナマンガン州出身です。

フェルガナ地方は、子供や兄弟がアフガニスタンに連れて行かれている家庭も多く、ＩＭＴの武装戦士となって帰って来る子供や兄弟を受け入れてしまうとのことでした。また、貧しさ故に社会に対して不満を持つ人々が増えており、イスラム原理主義が入りやすい地域となっているとも聞きました。

しかし一般のウズベキスタンの人々のテロに対する恐怖心、警戒心は極めて強く、イスラム原理主義国家がウズベキスタンに創られることを望んでいる人はまずいません。多くの人々は宗教と切り離された国家、いわゆる世俗国家を支持しています。

このような背景からウズベキスタンの人々はテロと隣合せの生活をしており、困難な状況の中混乱を避けテロリスト達に隙を見せずに治安を維持し安定した社会を建設し、安全な国を創ろうと真剣に努力していました。

テロリストとの戦い

一九九九年二月にタシケント市で起きた同時多発テロについて、カリモフ大統領は「このテロを起こした者達は国際的なテロリストであり、ウズベキスタンだけの問題ではない。いずれ何処かの国で、必ず同じ事件が起きるであろう」と国際社会に向けて、機会を捉えては発言していました。

国連総会の場でも、「イスラム原理主義を背景にした国際テロ組織の動きは、一カ国に留まる問題ではなく国際的な問題である。タシケントで起きた同時多発テロと同じテロがいずれほかの国で起きる可能性がある。国際社会はそのことを認識して、テロを未然に防ぐべく一丸となって対抗しなければならない。一カ国で抑えられるものではない。対テロ国際センターの組織をつくって対応すべきだ」と訴えました（二〇〇〇年九月第五十五回国連総会）。

今でこそ、イスラム原理主義グループによるテロが大きな国際問題になっていますが、当時、カリモフ大統領の訴えは国際社会に届きませんでした。全く無視されたと言ってもよいでしょう。カリモフ大統領とウズベキスタン共和国政府は、独自に隣国のテロ集団に対抗するしかありませんでした。

ウズベキスタンの人々は、隣の国々と戦うつもりは全くありません。建国のただ中にあってその余裕はありません。ただ、隣国に侵略されたくない、隣国も平和であってほしいと願っています。「国は引越す訳にもいかないので、隣国の人々と友人関係をつくらなければならない。しかし、アフガニスタンは今タリバンに支配されている。テロリスト集団がアフガニスタンを乗っ取った状態だ。アフガニスタンの人々とは友人でいたい。しかし支配しているのがテロリストであるならどのように付き合ったらよいのか」と、ウズベキスタン政府の人々は困惑していました。

このような状況の中で、警戒を強めながらウズベキスタン政府が最も力を注いだことは、アフガニスタンにおける情勢、特にタリバンやイスラム原理主義グループそしてアルカイダの動静について正確な情報を集めることでした。

マスード司令官の死

二〇〇一年の夏、アフガニスタンではタリバンがアフガニスタン全域をほぼ制圧し、タリバンに抵抗して戦っていた北部連合軍がタリバンに追い詰められ、支配地域を失い壊滅しそうな状況になっていました。北部連合軍の武器は殆ど尽きていると言われていました。北部連合の人々はいくつもの民族の集合体ですが、いずれも中央アジアの人々と同じ民族です。タジク人、ウズベク人などが中心です。アフガニスタンと四百五十キロメートルの長い国境で接するタジキスタン共和国のラフモノフ大統領は「あくまでも北部連合を応援する」と公言していました。

北部連合が壊滅寸前だと伝えられ、多くの人々が心配していた時、二〇〇一年九月十日夜遅く、北部連合の指導者マスード司令官が暗殺されたというニュースが飛び込んできました。当時、北部連合軍に与える影響の大きさを考慮して重傷を負ったと報道され、死亡は一週間隠されましたが、ウズベキスタン大使館の高橋博史参事官（当時）の情報では即死に近く、タジキスタンの首都ドゥシャンベに運ばれた時には遺体だったとのことでした。

マスード司令官は高い教養を身に付けた良識のある方と聞いていました。このテロは二年近くも前から計画され、テロリストはジャーナリストに成りすましてマスード司令官の側近に接触し信頼を取り付け、インタビューに応じることを認めさせたのだそうです。インタビューの最中にカメラにかけた黒い布の中から至近距離で狙撃したとのことですから、高橋参事官の情報のとおり即死だったのでしょう。マスード司令官は多くの人々から信頼され愛されていた方で、中央アジアでもその名は知られており尊敬されていました。

マスード司令官暗殺の知らせを受けた時、何とも言えない、救いようのない気持ちになりました。重苦しい悲しい気持ち、残念な憤懣やるかたない気持ち、空恐ろしい気分、嫌な気分、全てが合わさったような重苦しさでした。体が震えるようで抑え切れませんでした。マスード司令官にお目にかかったこともありませんでしたし、他人ごとで済ませていいはずでした。

夫中山成彬にメールを出しました。「マスード司令官が暗殺された。よく分からないが、とても耐えられないような嫌な気分になっている。きっと近いうちに何かとてつもなく恐ろしいことが起きるに違いない」と伝えました。中山にとってマスード司令官は遠い存在だったことでしょうが、「君こそ、身辺に十分気を付けるように」と答えてくれました。二〇〇一年九月十一日朝六時五十七分（日本時間）のことでした。

アメリカにおける同時多発テロ

その同じ日の夕刻、アメリカで心も凍るようなテロが起きました。中山から「びっくりしたよ。予感があったんだね」と電話が入りました。予感は悲しい出来事になってしまいました。

タシケントにおける同時多発テロの二年半後、二〇〇一年九月十一日、アメリカで目を覆うような惨劇が起き多くの犠牲者が出ました。飛行機と自動車の違いはありましたが、爆破の攻撃目標の選び方や爆破の進め方、考え方などはタシケントの同時多発テロと全く同じと言えます。ウズベキスタンの人々が懸念していたこと、イスラム原理主義グループによるタシケントの同時多発テロはウズベキスタンだけに留まるものではなく、いずれ先進国で同様の爆破テロが起きるであろうとの心配が現実のものとなりました。

アメリカでのテロの翌日の九月十二日、カリモフ大統領はブッシュ大統領宛に弔電を打ち犠牲者を悼むとともに、その中で「我々は、この残忍なテロ行為を厳しく非難し、首謀者が見つけ出され罰せられることを確信しています。この恐ろしいテロリズムに対し、力を結集することの重要性をこの機会に再認識致します。わが国は再度この共通の脅威に対し米国に積極的に協力する決意を表明致します」（ウズベキスタン第一チャネル報道より）と、米国を中心とする反テロ活動に協力することをいち早く表明しました。さらに十九日にはブッシュ大統領とカリモフ大統領の電話会談が行われ、地域の安全保障と国際テロに対する相互協力について焦点が当てられ、テロを国際問題と見なして、国際社会がより一層の努力を図ることが重要であること、テロ及びそれを支援する財源の根絶が重要であることが強調されました（同報道）。

九月二十六日には、タシケント臨時市議会においてカリモフ大統領は概要次のような演説を行いました。

一　私はタリバンと戦争ないし紛争を行うことに反対である。私は戦争を望まない。彼らが明日我々を攻撃するかもしれないことを私は知っている。キャンプでの訓練はショーのためではない。彼らのキャンプで訓練されたテロリスト達は、翌日にはウズベキスタンに入り込み、爆弾攻撃を組織し平和を乱さずにはおかないのである。我々はこのようなことをよく知っているので、自国に向けられる戦争を防止し、国境におけるあらゆる紛争を防止し、自分の身を自分で守ろうとしているのである。我々はこの種のキャンプでは誰に対抗するために誰を訓練しているかを知っている。この観点に立てば、我々は、今日そのようなキャンプの破壊を目指す超大国米国を支援すべきでないといえようか。

二　我々の支援はどうあるべきか。

まず、私はウズベキスタン国民が、旧ソ連のアフガニスタン侵攻と戦いにより、ウズベキスタンの人々が苦しみ、多くの命が奪われた一九七九年の経験を決して忘れない、ということを信じている。私はこの国に住む人々が誰一人として過去の暗い日々が戻ってくることを望んでいないということを強調したい。

これが第一の必要条件である。

第二の必要条件は、領土の安全と治安の維持及び保証である。もし国連が、あるいは国連に加盟する最強の国々がウズベキスタンの領土を侵害しないという保証を与えるなら、我々は支援を行い得るのである。

第三として、我々の周囲の状況が緊張してくるにつれて、我々は一層、軍を強化し国境不可侵を維持しなければならない。我々は大国及び近隣諸国と、より緊密に協力し、全ての起こりうる緊張状態に備えなければならない。

三　協力と支援に関して言えば、テロと戦う際に必要が生じる場合、治安と人道目的のための領空使用の要求を考慮する用意があるということを全ての人々に明らかにしておきたい。

（「ナロードノイエ・スローバ（国民の声）」より）

この演説を通して、大統領は、ウズベキスタン国民に米国に対する支持・支援の必要性を訴え、国際社会に向けて国土と国境の維持及びその保証を要請し、軍及び国境警備隊の強化により国境不可侵を堅持する強い意志を表明し、安全と人道目的のためにウズベキスタンの領空使用を認める用意のあることを世界に向けて発信しました。

そして、十月七日、対テロリズムに関する、ウズベキスタン・米国の二国間協力協定が締結されました。主な内容は次のとおりです。

我々の共同の戦いは、アフガン国民に対するものではなく、テロリズムに対するものであり、我々はアフガン国民への人道支援を提供する分野で協力する。我々はまた、国際テロリストとそのインフラを破壊する目的のために、ウズベキスタン共和国は、自国領空の通過と、第一義的に人道支援を目的として自国飛行場の一つにおける必要な軍事及び民間のインフラを使用させることに合意した。

（「ナロードノイエ・スローバ（国民の声）」より）

ウズベキスタンは、後方支援の協力をするという目的で、アフガニスタンとの国境に近いハナバード飛行場を米軍が使用することを了承しました。

アメリカでのテロが起きて間もないこの時点では、事態がどう進展するか誰にも分からず、ウズベキスタンが隣国アフガニスタンの国際テロリストを攻撃するアメリカに協力することを明言したことについて、ロシアなどからは新しい火種をつくったと批判されていました。このような動きを見れば、ウズベキスタンがいかにこの国際テロリストの恐ろしさを実感していたか、隣国アフガニスタンがテロリストの支配から逃れて通常の国になってほしいとどれほど真剣に望んでいたかを知ることが出来ます。

またウズベキスタンにとってアメリカへの協力は、時に他の国に気に入られなくとも、自分の国益は自分で守らなければならないとの厳しい判断であったろうと想像出来ますし、国を守り抜くことを真剣に考えた時、当然のごとくになされた判断だったのだろうと考えています。

この後しばらくして、中央アジアの国々は競ってアメリカやヨーロッパ諸国に飛行場の使用を認め、貸出しました。

アフガニスタンの南側のパキスタン側からだけでなく、北側からもアフガニスタンを包囲するには中央アジアの協力が欠かせません。あるアメリカの上院議員が、「アメリカがウズベキスタンの基地のことを想起していなかったとしたら、アメリカはアフガンでの作戦で何も成果を得なかっただろう」と述べていたそうです。

二〇〇一年の秋には、パウエル国務長官（当時）、ラムズフェルド国防長官（当時）、フランクス将軍（当時）、さらに九十名を超える上院議員がウズベキスタンを訪れました。そしてウズベキスタンを訪問した全てのアメリカ人が「カリモフ大統領に大変感謝する」との言葉を残しました。

アメリカからの訪問者が心からの謝意を表したのはウズベキスタンから飛行場使用の了承を得たことのみならず、カリモフ大統領からアフガニスタンに関する豊富なそして正確な情報と知識を得たからだと考えています。

日本との戦略パートナーシップ

日本との関係では、二〇〇一年十一月に、中山成彬議員が「イスラム・カリモフ大統領から小泉純一郎総理へ宛てた書簡に対する小泉総理の返書」を携えてウズベキスタンを訪問し、同十二月にはスルタノフウズベキスタン共和国首相（当時）が日本を訪問、翌二〇〇二年一月、森喜朗前総理が総理特使としてウズベキスタンを訪問しました。この一連の相互訪問を通して、国際的テロの問題に留まらず、あらゆる問題について話し合われ、日本とウズベキスタンとの関係が新たな段階に高められたと考えています。

さらに二〇〇二年七月には、カリモフ大統領の訪日が実現しました。日本の各界の方々と会い意見交換が行われました。また小泉総理との会談において、日本国とウズベキスタン共和国との間における友好、戦略的パートナーシップと協力に関する共同声明に署名が行われました。

友好の橋

中山がウズベキスタンに到着した翌日、二〇〇一年十一月十日早朝、早速アフガニスタンとの国境の町、テルメズに共に向かいました。この時期アフガニスタンではアメリカや西側からの援助を得た北部同盟が勢力を盛り返し、タリバンに反撃を加え始めていました。

テルメズ空港に着きましたら街が何やらとても賑やかです。伝統の楽器「カルナイ」のブォーという低いがよく響く音が街の中にこだましていました。お祝いのしるしです。

聞きましたら丁度この日、「午前三時にマザリシャリフが陥落した。北部連合軍がタリバンから奪い返した」とのことでした。マザリシャリフはアフガニスタン北部の主要な都市ですので、この町が北軍の手に落ちたことは重要な意味を持っていました。さらに午前六時、アムダリアを挟んでテルメズの対岸の町、ハエラトンも陥落しました。

テルメズとハエラトンはアムダリアに架かる彼の有名な「友好の橋」で結ばれており橋の両端の町ですので、この町ハエラトンにもうタリバンがいないということは、テルメズの人々にとって、どのように喜びを表しても表しきれないほどなのです。街のあちらこちらの辻では楽器に合わせて人々が踊りだし、踊りの輪が出来ていました。

早速、中山と「友好の橋」まで行くことにしました。

「友好の橋」はアフガニスタンとの国境を流れるアムダリアに架かる橋で、一九八一年に建設されました。全長九百メートル。アフガニスタンとウズベキスタンを結ぶ唯一の橋です。旧ソ連がアフガニスタンへ侵攻した折には、現在の橋の横に架かっていた橋が使用されましたが、旧ソ連軍がアフガニスタンから撤退することになった時、兵士達がこの「友好の橋」を渡って引き上げていったことで知られています。

通常は進入禁止となっている道路を抜け、橋の手前にある監視所の門をくぐると、目の前に鉄橋が現れました。アムダリアの大きな速い流れをまたいで黒々とした鉄骨が聳え立っていました。岸辺には川に沿って有刺鉄線が張られ、一定の間隔で監視塔が建っています。橋の袂《たもと》には国境警備隊の立哨用ボックスが一つ設けられており、警備隊員が一人警備に当たっていました。橋の中央にも立哨用ボックスがあり、ウズベク兵が警備に当たっていました。

対岸のアフガニスタン領には倉庫群が見え、陸揚げリフトもあり、港になっているようでしたが、アフガニスタン側は使用していないとのことでした。

「友好の橋」はこの時、タリバンの進入を防ぐために閉鎖されていましたので渡ることは出来ず、橋の袂に立って対岸の町の様子を窺うのみでした。本来、この橋は自動車も通れますし歩いてでも渡れます。汽車も通過出来ます。汽車の線路は錆付いていましたが、「何時でも走れるように準備はしてある」との説明がありました。

友好の橋の前で

「友好の橋」の隣、アムダリアの川沿いに、レチノイポルト（河川港）という港があります。対岸はハエラトンです。この辺りのアムダリアの流れは速く、大河としては米国のミシシッピー川に次いで世界で二番目の急流とのことです。船を漕ぎ出すと数百メートルも流されて対岸に着くそうです。この港から陥落したばかりのアフガニスタンのマザリシャリフまでの距離はわずか五十六キロメートルです。

　私達がここを訪ねた時、艀《はしけ》が岸に繋がれ、出港準備をしていました。既に約千トンの人道支援物資が国連機関などからテルメズに届いており、この港を利用して、ウズベキスタンからアフガニスタン側へ水上輸送されることになっているとのことでした。

「友好の橋」でも、港でも、警備隊員が所々に立っているのみで、物々しい警備は全く見当たりませんでした。落ち着いた様子でした。進入禁止となっている国境ポイント前に広がる畑では地元の子供達が遊んでおり、牛も放牧されていました。

インタビューを受けて中山は、「橋の袂まで行ったが、周辺は大変静かで兵士の顔もにこやかだった。こういった雰囲気から察すると、『友好の橋』の開通も近いのではないかと思われる」と答えていました。

テルメズの対岸からタリバンが去ったことで兵士達は勿論、この地域で働いている人々の表情がすっかり和らいでいることを知り、タリバンから解放されることの喜びがどれほど大きいものかを実感し、「友好の橋」が文字通り中央アジアとアフガニスタンを結ぶ友好の橋になることを祈りながら、中山とテルメズのもう一つの重要な場所、加藤九祚先生が待つ仏教遺跡に向かいました。

このテルメズ訪問で強い印象を受けたことがあります。当時ロシアからのニュースでは、「テルメズ国境地帯は緊張が続いており、三千人を超えるウズベキスタンの人々がテルメズから脱出を図っている」と報道されていました。しかし、街を歩いてもそのような様子は全くありませんでした。実際のテルメズの状況と報道されていたことのあまりの違いに愕然とすると同時に、想像情報を使った情報戦を目の当たりにして、状況を正確に見極めることの大切さを痛感しました。この時に限ったことではありませんが、ウズベキスタンで過ごした三年間、情報戦争ということを何度も考えさせられました。

日本の、大きなプレゼンスに期待

テルメズからタシケントに戻り、十一月十二日にカリモフ大統領と中山との会談が大統領官邸「オクサロイ」で行われました。

まずカリモフ大統領から日本の経済支援について感謝の言葉が述べられた後、日本への期待、アフガニスタン情勢に関する詳細な情報、パキスタンとアフガニスタンの関係、中央アジアの安定と経済発展などについて、真剣な意見交換が行われました。いくつかのポイントが今も記憶に残っています。

「日本は戦後シンドロームから抜け出し、世界に大きく貢献する時期になったのではないか。日本は国連への拠出も第二位であり、人道支援に関しても最も貢献している。日本は国連の常任理事国になるべきであり、ウズベキスタンは日本の国連常任理事国入りを支持している」（カリモフ大統領は一九九三年、九五年、二〇〇〇年の国連総会演説で、「日本」という国名を挙げて、日本の常任理事国入りが必要だと訴えました）

「日本は、ただ単に裕福な国であるというだけでなく、ウズベキスタンと文化やメンタリティが近いアジアの国であり、中央アジア地域において、より大きな役割を果たしてほしい。

ウズベキスタンは現在一院制を採っているが、国民の意見をより反映出来るように、二院制とすることを考えている」（二〇〇四年の十二月に二院制が施行され、上下両院の国会議員選挙が行われました）

「ウズベキスタンは経済の自由化を進めるに当たってショック療法ではなく、漸進主義を採ってきた。各国にはそれぞれ置かれた環境や異なる条件がある。国際機関はどの国に対しても一様に同じアプローチを取りがちであるが、いろいろな考え方があることを理解する度量の広さが求められる。

アフガニスタンの問題を解決するのはアフガニスタン人自身である。

ウズベキスタンの目標は隣人と平和に暮らすことであり、ウズベキスタンが求めているのは平和なアフガニスタンである。八百キロメートル先で戦争が行われていて、ウズベキスタンの建国が出来ようか」

中山がテルメズでの印象を述べたのに対し、大統領は、「テルメズで出港準備をしていた艀を利用して、本日（十一月十二日）小麦や砂糖など、アフガニスタンに対する最初の人道支援物資四百トンが送られた。今後この艀は、爆弾などでなく、人道支援物資を運搬する」と答えました。

二人は時を忘れたかのように、国際情勢、両国関係、共通の友人達について、意見を述べ合い、うなずき、体を乗り出して話し合っていました。

森前総理のウズベキスタン訪問

中山の訪問から約二カ月後、二〇〇二年一月、森前総理が総理特使としてウズベキスタンを訪問しました。

森前総理は一月十四日の夜タシケントに到着。翌日、日本人墓地やナヴォイ劇場など精力的にタシケント市内を視察した後、カリモフ大統領との会談に臨みました。

森前総理は初めてのウズベキスタン訪問でしたが、初代孫崎大使が森前総理と同郷の石川県出身ということもあり、古くからウズベキスタンに関心をお持ちで、この国のことをよくご存じでした。総理でいらした頃、二〇〇〇年の冬、東京で開催されたウズベキスタン物産展に突然お見えになり、関係者達がびっくりすると同時に大喜びしたことがありました。

カリモフ大統領はこのこともご存じで、このお礼から会談が始まりました。いつものように、日本の経済支援に対する感謝の言葉が述べられ、財政面、政治面、経済面そして文化面における両国関係、日本のイニシアティブに対する支持、国際的テロリズムの動向、アメリカやロシアとの関係など広い範囲に渡って意見交換がなされました。

特にカリモフ大統領は、ウズベキスタンはアジアの一員であるということ、同じアジアの国である日本を最大の友好国として支持していること、また国連における日本の常任理事国入りを強く支持しており、国際社会において日本が大きな役割を果たしてもらいたいと思っていることなどを森前総理に伝えました。

予定されていた議題に関する会談が終了した後、お二人は心を込めて、それぞれの思いを語りました。幸いお二人のご了解を得ることが出来ましたので、自由に語られた対談をここにご紹介します。

森前総理　カリモフ大統領から、本日、広範囲な話題につき見識あるご忠告をいただき、我が国とドイツとの比較についてもご指摘があった。深く感じるところのお話だった。そもそも欧州では国と国との戦いの歴史があり、その戦いで国が勝ったり負けたりする中で、勝ったらどうする負けたらどうするという教訓を引き出しその対応を決めていったのだと思う。翻って我が国の歴史では、内乱の時期こそあったものの鎖国していた時代が長く、日清・日露戦争では勝利し、その後米国と戦争を行い、やがて世界中を敵に回し大敗北を喫した。歴史上初めての敗戦である。

日本では武士道や大和魂が重んじられ、武士は負けたら言い訳をせずにさっさと腹を切るべしというのが侍の心の美しさだと考えられていたので、我が国は米国をはじめとする連合国には全く逆らわず何の要求もしなかった。憲法を変えろと言われれば変えた。ドイツは憲法改正を拒否して未だ基本法だけでやっている。日本は教育制度も変更し、米国とそっくり同じ制度が導入された。ドイツは教育と戦争は無関係として米国の変更要求を突っぱねたと聞く。米国は我が国に二度と軍国主義が生じないようにという考慮から様々な措置をとり、その結果我が国では、憲法が変わり、教育制度が変わり、共産党や労働組合の活動も活発になった。そして日本は米国などから食糧支援などの協力を得た。

今日の我が国の経済力は国際社会の協力のお陰だということは日本人なら誰でもそう思っていて感謝している。また戦争をしない旨を規定した憲法を持つ国は日本が唯一である。そうして経済面で成功した日本は、今度は世界に対して支援するということを国是として頑張っている。

本日は長時間に渡り様々なお話をすることが出来、ご助言などもいただいた。感謝する。

カリモフ大統領 内容のあるお話を伺うことが出来た。ただ一つ私がコメントを入れさせてもらえば、日本が現在の経済力の水準に達したのは、国際社会からの支援もあったのだろうが、何よりも日本が日本であったこと、日本人が日本人であったこと、つまり貴国国民の目的意識の強さ、勤労能力、知的水準の高さ、粘り強さなどの世界を探しても例の少ない優れた国民性が発展の原動力だったのではないか。

森前総理 その通りだ。

カリモフ大統領 付け加えるのはその点だけである。除去すべき点は何もない。

貴兄は哲学的で思弁的なお人とお見受けしたので、そこを見込んで私の考えをお話ししたい。世の中には戦争もある。平和もある。しかし万物流転。永遠なるものは存在しない。戦争を終了させて和平を達成しても、その永久性は何によっても担保されない。また元の木阿弥にならないという保証は全くない。

戦後五十年以上が経過したが、その間の国際情勢の動きが一定のスピードであったとすれば、この二年ほど、とりわけ昨年（二〇〇一年）九月十一日以降の世界の変化のスピードは目ざましく、これには全く新しい対応が必要になっている。九月十一日以降、我々は世界の動きに対する考え方を変え、遅れずに早急に決定を下すことを求められている。その意味でも貴国には、国際社会でより重要な地位を占めることが期待されているはずである。実はそのことは貴国が一番分かっているのではないか。突き詰めてみれば、私に出来ることは、中央アジアの一国の指導者としてその地域の立場を語ることだけである。その立場とは、貴国に中央アジアでのプレゼンスを何とか拡大してほしいということに尽きる。我々はそのことに期待している。

カリモフ大統領と「トーン」と呼ばれる
ウズベキスタンの伝統的な衣装を着た森前総理

森前総理　有難う。我が国の復興については、その原動力となったのは我々の世代の前の方々である。勤勉で努力家であった彼らは、戦争に負けたショックは大きかったが、亡くなった戦友や核兵器の犠牲となった市民達に申し訳ないという思いもあって、国の再建を自らの義務と考えたのであろう。彼らは多くの国と接し、多くの国の考えを取り入れた。彼らの意識が大きく変わったことが繁栄に繋がったのだと思う。

我が国の国際社会での地位について

は有難いご助言を得たが、いずれにせよ国の指導者たるべき者は、自国のみならず世界全体に対する責任を担う覚悟がなければならないと思う。今回の出来事、ニューヨークでのテロ以降の出来事は、ブッシュ大統領のように「新しい戦争」と呼ぶべきか否かは別にして、同じようなことが何時どの国で起きても不思議ではないということを教えてくれた。テレビやインターネットの普及する時代にあいうことについての情報を伏せるということはどの国にも出来ない。それが二十一世紀という時代である。その意味で、リーダーは自国のことのみならず、世界の幸せを考えなければならない。

カリモフ大統領　感謝する。素晴らしいご意見を伺えた。本日は多くの点で相互理解が深まったと思う。

一九四六年に出来たタシケントのナヴォイ劇場は日本人が建設したものである。そこにはかつて日本人の戦争捕虜がこの劇場を建てた旨を記したプレートが掲げられていた。実は私が大統領に選出されてから初めて行った外交面での措置はこのプレートを付け替えることだった。ウズベキスタンは日本と戦争をしていないのだから、戦争捕虜などいるはずがないのである。まして貴国は旧ソ連との戦争はしていないと聞く。私は公平を確保するためそのプレートをはずし、代わって「日本国民がこの劇場を建てた」ということを記したプレートを取り付けた。それで十分なのである。我が国では貴国国民を埋葬した墓もあるが、人々はこの墓を丁寧に手入れしている。

貴兄のことはこれまでもお聞きして知っていたが、本日直にお会いして貴兄のことをより深く理解することが出来た。深いお考えが非常に印象的であった。

森前総理　劇場の話は感動的であった。本日は墓参りもし、我が国国民が貴国国民と同じように丁寧に葬られているのを見て感動した次第である。貴大統領に謝意を述べたい。

最後になるが、是非また久しぶりに、ご都合の良い時に我が国を訪問してほしい。ご招待申し上げる。

カリモフ大統領　喜んでそうしたい。有難う。

森前総理　有難う。

この会談の後、森前総理はインタビューに答え、次のように話しておられました。

「現在アジアの途上国には大変な苦労があり、新しい時代において改革を進めていこう、貧困をなくしていこうと、人々が一つになって努力している。これに対し、日本も出来る限りの協力をしていくことが大事であると思った。支援もＯＤＡ（政府開発援助）の流れだけではなく、その国の求めているもの、その国の繁栄に繋がることを見極めて供与すべきであると感じている」

カリモフ大統領の訪日

二〇〇二年七月、カリモフ大統領が訪日されました。この年は日本とウズベキスタンが外交関係を樹立して十周年の節目の年に当たります。両国の友好関係を確認し、さらに発展させる意味を持つ行事となりました。カリモフ大統領の訪日は一九九四年に初めて来日して以来二度目のことでした。

大統領は初めて日本を訪れた時のことをいつも懐かしく話してくださいました。とりわけ、天皇皇后両陛下にお会いになった時のことは大層印象深い思い出として大切にされていました。

日本の各界の方々と会い意見交換が行われました。また早稲田大学では名誉博士号が授与され、知的交流の大切さなどについて記念講演をされました。

七月二十九日には、小泉総理との会談が行われ、政治、経済、文化交流など幅広い分野について意見交換が行われました。その中で小泉総理から、「ウズベキスタンは重要な国であり、協力を深めていきたい」との発言があり、カリモフ大統領からは、「日本との関係は目先だけを見ているのではなく、長期的な観点に立って重要なものと考えている。日本の経済支援に感謝するとともに、ウズベキスタンは日本がこの地域でプレゼンスを高めるための拠点になる用意がある」との発言がありました。

この会談の後、二つの共同声明と三本の外交文書に署名されました。この共同声明の中で、「二つの国は、政治・安全保障の分野、経済分野、社会・文化分野そして国際社会において、友好関係と戦略的パートナーシップを発展させていくことを表明」しました。

また二国間航空協定の締結に向けた交渉を開始することも確認されました。その後交渉を重ね、二〇〇三年十二月、二国間航空協定が正式に調印されました。我が国と旧ソ連諸国との二国間協定はこの日本・ウズベキスタン航空協定が初めてのものとなりました。

時間のある限り、日本の人々と意見交換を行い、短いながらも充実した滞在を済ませ、羽田に向かう途中の車の中で、カリモフ大統領が「中国について日本の人々がどのように考えているのかもっと知りたかった。中央アジアにおいても中国とのこれからの関係は重要な問題となる」と、ぽつりともらされた言葉が思い出されます。

サマルカンド
SAMARKAND

レギスタン広場

シルクロードの十字路に位置するオアシス都市として発展したサマルカンド。その歴史は紀元前五、六世紀頃から始まるとされる。この町を築いたのはイラン系のソグド人で、シルクロードの商人として活躍した彼らのもたらす富によって、サマルカンドは大いに繁栄し、「東方の真珠」と異名をとるほどであった。紀元前四世紀、アレクサンドロス大王がこの地を攻略した際、その美しさに驚嘆したという記録も残されている。

とはいえ、サマルカンドは常に平和であった訳ではない。東西の文明が交差する位置にあって、前述のアレクサンドロス大王の遠征、八世紀のアラビア人による征服、十二世紀のトルコ系イスラム王朝のカラハン朝の支配など、様々な異民族の侵略を受け、その度に破壊・復興を繰り返してきた。

しかしそのサマルカンドの息の根を完全に止めたのが、一二二〇年のチンギス・ハーン率いるモンゴル軍の来襲である。攻撃は容赦なく、町は徹底的に破壊された。一説によると、この攻撃で人口の四分の三が殺されたという。廃墟となった旧サマルカンドは、二度と復興されることはなく、その荒れ果てた土地は、その後、「アフラシアブの丘」と呼ばれるようになった。現在、この丘の発掘が進められており、旧サマルカンドはかなり高度な技術を持った都市であったことが明らかになっている。

現在のサマルカンドは、十四世紀、英雄アムール・チムールによって建設されたものである。「チンギス・

右上／朝日を浴びるティラカル・メドレセ
右下／シェルドル・メドレセに描かれたライオンと太陽
左上／グリ・アミール廟の美しいドーム
左下／地下に安置されるチムールの墓

ハーンが破壊し、チムールが建設した」と言われるのはそのためである。彼はチムール朝を創始し、サマルカンドを都と定め、旧サマルカンドの隣に壮麗な町を築いていった。

各地から最高の職人が呼び寄せられ、様々な施設の建築に当たった。これらの建築物には至る所にチムールが好んだ青いタイルが用いられ、サマルカンドはまさに「青い都」となった。現在サマルカンドに残る歴史的な建造物の殆どが、チムールの時代に造られたものである。

例えば、グリ・アミール廟。これは、チムールが最愛の孫のために建てた霊廟だが、チムール自身とその息子達なども埋葬されている。このチムールの墓には伝説がある。一九四一年、棺に書かれた「私の墓を開けたら、次の日に戦争が始まる」という言葉に逆らって研究者達がチムールの墓を開けたところ、その言葉どおり直後に第二次世界大戦が始まったというのだ。

ビビハニム・モスクはチムールが最大のモスクとなるよう命じて造らせた建築物で、巨大すぎたために建設中から既に崩壊が進んでいたと伝えられている。ビビハニムとはチムールの妻の名前。一説には、彼女がチムールに贈ったとも言われる。

チムール帝国の時代に造られた他の建築物も

右上／チムール像
右下／サマルカンド北郊にある都市遺跡、アフラシアブに残された壁画
左上／アフラシアブの丘の石畳。13 世紀以前のもの
左下／ウルグベックの天文台に残る六分儀の遺構

見ていこう。まずはレギスタン広場にある三つのメドレセ（神学校）。チムールの孫であり天文学者としても有名なウルグベックが建てたウルグベック・メドレセ。正面アーチに描かれる動物と太陽の絵が有名なシェルドル・メドレセ。ティラカル・メドレセは、その名の通り（ティラカル＝金箔）、金箔で飾られた礼拝所を持つ。

シャヒズィンダ霊廟は、アフラシアブの丘の近くに位置する聖地で、通りに沿って様々な聖人やチムール一族の霊廟が並ぶ。

そして、ウルグベックの天文台跡。為政者であり、天文学者でもあったウルグベックはここで大規模な六分儀を用いて天体の観測を行った。彼が観測した一年の時間は、現在のものと誤差が一分にも満たない精密なものだった。

歴史的な遺跡が残るサマルカンドは、二〇〇一年にサマルカンド＝文化交差路として世界遺産に登録されている。

チムール帝国時代、繁栄を極めたサマルカンドだが、十七世紀にはブハラ・ハン国の、十九世紀にはロシア帝国の支配下に入り、二十世紀にはウズベキスタン共和国の都市となり、現在に至っている。

ブハラ
BUKHARA

ミリ・アラブのメドレセとカラーン・ミナレット

ブハラは、パミール高原から流れ出るザラフシャンの流域にあるオアシス都市で、古くからシルクロードの要衝として栄えてきた。八世紀にアラビア人によって征服され一気にイスラム化が進むが、それ以前はゾロアスター教や仏教、キリスト教などが信仰されていた。これらの宗教の名残を留める遺跡がいくつか見つかっている。

九〜十世紀のサーマーン朝（イラン系）の時代、ブハラはイスラム文化の中心地となり、ハディース（伝承）学者のアル・ブハーリー（八一〇〜八七〇）や詩人のルダーキー（〜九四〇?）、医学者、哲学者のイブン・シーナ（九八〇〜一〇三七）などの、イスラム世界を代表する知識人を輩出した。しかし十三世紀、チンギス・ハーンが率いるモンゴル軍によってブハラの町は壊滅状態となった。

この時の来襲で数多くのイスラム建築物が壊され、跡形もなくなってしまうが、中には破壊をまぬがれた遺跡もある。その一つがイスマイル・サマニ廟。九〜十世紀、サーマーン朝の王イスマイル・サマニが父親のために建てた霊廟である（後に本人と彼の孫三人も埋葬される）。現存するイスラム最古の建築物で、必見はレンガを組み合わせた壁の模様。太陽や月の位置によって模様は刻々と変化していく。また、建物にはゾロアスター教の影響も見られる。

そして、十二世紀に造られたカラーン・ミナレットも、モンゴルの破壊をまぬがれた遺跡の一つである。カラーンは「偉大」（タジク語）、ミナレットは「光塔」の意味。高さが四十七メートル、土台部分は地下十メートル深くまで潜って

イスマイル・サマニ廟

おり、頑強な造りである。ミナレットとは祈りを呼びかける建物であるが、それ以外に、ブハラはシルクロードの要衝であるため、夜間には火を灯し「灯台」の役目も果たしていた。

モンゴル軍により破壊され尽くしたブハラだが、十六世紀、チムール朝を滅ぼしたウズベク族のブハラ・ハン国の時代に入ると、再び活気を取り戻す。そして、町には様々なイスラムの建築物が再建されたり、新しく造られた。「ブハラ」という言葉の意味には諸説あるが、その一つにサンスクリット語の「寺院」に由来するという説がある。その名の通り、ブハラの町には現在でも数多くのイスラムの寺院が残されており、その多くがこの時代に造られたものである。例えば、カラーン・ミナレットと隣接するカラーン・モスクやカラーン・メドレセが造られたのも十六世紀の頃である。また同時期に造られたミリ・アラブ・メドレセは、宗教を認めなかった旧ソ連が例外的に認めた数少ない神学校。ミリ・アラブとはこのメドレセを建造した人物の名で、当時の著名なスーフィー教団（イスラムにおける修行により神との合一を目指す思想や運動＝スーフィズムの修行者たちが形成した教団組織）であった。

また、同じ十六世紀にはタキも造られる。タキとは十字路の上に建てられたドームに覆われたバザールのこと。タキのある通りとはまさにシルクロードであり、各地の商人が行き交い、この通りで商売をしていた。

十七世紀に造られた建築物には、ラビハウズ（「池の上」の意味）と、その周囲に建つ二つの建物、メドレセとハナカ（ハナカは「宿」の意味）」がある。ちなみに、このメドレセの

上／シルクロード交易の賑わいを今に伝えるタキ
下／タキの内部

正面入り口のタイルには、偶像崇拝を禁止するイスラム教の教えに反して「鳥」が描かれており、当時のブハラにはイランの影響が強くあったことが窺われる。

さらに十八世紀、紀元前から城砦が築かれていた場所に建てられたのが、歴代の王の居城となったアルク城。中にはモスクや地下牢などがあり、また城の前のレギスタン広場は祭りやバザール、時には処刑などに使われた。

二十世紀初頭、ロシア革命の波が押し寄せ、ブハラ・ハン国は滅び、以後ブハラは旧ソ連の中でウズベキスタン共和国の一地方都市となっていく。

ブハラは、シルクロードの古都としてサマルカンドと並び賞され、観光客も数多く訪れるが、そのわりには観光地化しておらず、歴史的な雰囲気が今も色濃く残っている。一九九三年には世界文化遺産に登録された。

ヒワ
KHIVA

イスラム・ホジャ・ミナレット

イチャン・カラ内にそびえる
イスラム・ホジャ・ミナレット

イチャン・カラのラクダ

ヒワが属するホレズム州は、アムダリアの下流域に位置し、北東をキジルクム砂漠、南西をカラクム砂漠に挟まれた乾燥地帯である。「太陽」を意味する「ホレズム」の名が示す通り、太陽の照っている日が一年のうち三百日もあり、年間雨量は八十六ミリで、ウズベキスタンで一番水の少ない地域である。この辺りでは、アムダリアの水を利用して紀元前から農耕が行われていたと言われている。

八世紀、アラビア人の征服によりホレズムではイスラム化が進み、さらに十一世紀にはテュルク(トルコ)系のホレズム・シャー朝が成立。この王朝は拡大を続け、十三世紀初めに中央アジアからイランにまたがる広大な領土を支配するに至った。

ところが、それもつかの間、チンギス・ハーン率いるモンゴル軍の攻撃を受け、ホレズム・シャー朝は滅亡、当時の都・ウルゲンチは灰燼に帰した。その後ホレズムはモンゴル帝国、そしてチムール帝国の支配下に入る。チムール帝国の時代まで、ホレズムの中心はウルゲンチであり、ヒワはその周辺の町にすぎなかった。そのヒワが歴史の表舞台に現れたのは十七世紀、ヒワ・ハン国の都になった時である。アムダリアの流れが変わり、ウルゲンチが衰退したため、ヒワに都が移された。

ヒワは、現在、「博物館都市」とも呼ばれているが、それは、城壁に囲まれたイチャン・カラ(「カラ」は「城」の意味)と呼ばれる内城が今も「生活空間」として使われているからである。人々はこの中世の風景をそのままに残す街で日常生活を営んでいる。一九九〇年には世界文化遺産に登録された。

イチャン・カラを囲む城壁の長さは二千二百メートル、高さ八メートル。築かれたのは十六世紀。但し、現存しているのは、十八世紀にイラン系の王朝によって破壊された後に再建されたものである。ちなみに、城壁の外

木柱が美しいシルエットを見せるジュマ・モスク

街の長い歴史が石畳にわだちを刻む

はディシャン・カラ（外城）と呼ばれている。イチャン・カラには二十のモスクと二十のメドレセ、六基のミナレットがあるが、それらはヒワ・ハン国の時代に造られたものもあれば、それ以前のものもある。

ヒワ・ハン国以前の遺跡では、パフラヴァン・マフメド廟が有名である。パフラヴァン・マフメドとは十三〜十四世紀の職人であり、政治家、詩人、哲学者でもあった人物で、彼に悩み事を相談すると全部解決してくれると人々の尊敬を集めていた。そのせいか、この廟のまわりには沢山の墓が造られている。ジュマ・モスクの原型は十世紀に建てられ、たびたびの修復で現在の形になった。約三メートルの間隔で二百十二本の柱が林立しており、柱にはヒワ特産の木彫りが施されている。

ヒワ・ハン国時代後半の十九世紀に造られたものには、カルタ・ミナルがある。「短い塔」の意味で、実は未完成。完成しなかった理由には諸説ある。当時のヒワの王がブハラを見張るために高い塔を造ろうしたところ、それがブハラの王に知られ、その王が塔の建築家を買収したため、それに怒ったヒワの王がその建築家を殺してしまったからだという説もある。しかし、真実はというと、建設の途中で王が代わったからだと言われている。

イチャン・カラで最も新しいものが、イスラム・ホジャ・モスクとミナレットで、二十世紀初頭のものである。このミナレットはヒワで一番高い塔である。

さて、ヒワ・ハン国のその後だが、王朝は十九世紀まで非常に強い力を持っていたが十九世紀後半になるとロシア帝国に征服され保護国となる。そして、二十世紀初頭、ブハラやサマルカンド同様、ロシア革命の火の粉はこの地にも飛来し、一九二〇年、ヒワ・ハン国は滅亡し、ホレズム全体が旧ソ連に組み込まれた。

アムダリアに架かる艀の橋

砂だけの乾いた土地に咲く花

砂漠の風景の中に現れるトプラク・カラの城壁跡

ホレズム州のあるアムダリア下流域には、紀元前からイラン系のホレズム人が住み、古代ホレズム王国を形成していた。

アムダリアの豊富な水を利用して灌漑農業を行い、オアシス都市として発達した。また、シルクロードとヴォルガ川とを結ぶ中継地という地の利を活かして交易を行い、商業都市としても大いに栄えた。

古代ホレズム王国では何世紀にも渡って様々な王朝・民族が興亡を繰り返したと考えられているが、多くはまだ謎に包まれている。一九四〇年代から発掘が始まり、現在アムダリア下流域や北東部のキジルクム砂漠などから、千を超える城跡が発見されている。

一番調査の進んでいるのがトプラク・カラ。紀元前後から数世紀続いた王朝の都跡とされ、城壁や建物の遺構などが今に残されている。また、この遺跡からは、王像や色彩豊かな壁画、貨幣などが出土しており、その様式はシルクロードからの強い影響が認められる。そのほか、保存状態の良いカラとして、アヤズ・カラやクワット・カラなどがあり観光ツアーのコースにもなっている。

さて、ホレズム州を上空から眺めると、土地が白くなっていることに気が付く。これは「塩」。この塩が、現在ホレズム地方に大きな被害をもたらしている。ソ連時代、アムダリアとシルダリアから農業用水を引く大規模な灌漑が行われた結果、この二つの川が流れ込むアラル海の水量が激減して塩の濃度が上昇し、また周辺の土地に塩が生じるようになった。

アムダリア下流域に位置するホレズム州の塩害の被害はとりわけ大きく、耕作困難な農地が非常なスピードで拡大し、農業中心のこの地方にとって深刻な事態となっている。さらに、空気中の塩による人間の健康への被害も懸念され、対策が急務となっている。しかし政府にはその資金が乏しく、国際的な支援が求められている。

タシケント
TASHKENT

日本人抑留者が建築に貢献したナヴォイ劇場

チムール像

ウズベキスタンの首都、タシケント。この街は、古来オアシスの都市国家として栄え、シルクロードの要衝であったが、今ではその歴史を感じさせるものは少ない。

欧風な建物や現代的な高層ビル、広くてまっすぐ伸びる通り、そして中央アジアで唯一の地下鉄などどこかヨーロッパを感じさせる風情である。

タシケントは一八六五年に帝政ロシアに征服されて以降、街は移住してきたロシア人達によってすっかりロシア風に造りかえられた。その後のソ連時代は、旧ソ連の中央アジア行政の中心地となり、政治経済を発展させた。さらに、一九六六年の大地震で壊滅状態になったこの街は、旧ソ連からの強力な支援の下で見事に復興を遂げ、再建された街はさらに一層「ソ連風」となった。

とはいえ、この街には歴史をしのばせるものがいくつも残っている。

たとえば、街の名前「タシケント」はトルコ語で「石の街」の意味である。帝政ロシアに征服される以前、この街はいくつかのトルコ系イスラム王朝の支配を受けた。街の名前はその名残といえる。また、面白いところで街の中心に建つチムール像。ここに建つ像の住人は時代により何回か変わっている。最初が帝政ロシア時代の総督・カウフマン、その後、レーニン、スターリン、マルクスと続く。この変遷に時代の移り変わりを感じることができる。

日本人に馴染み深いところで、ナヴォイ劇場がある。千四百の客席数を持つこの劇場の建物が完成したのが一九四七年。第二次世界大戦後にシベリアから強制移送された数多くの元日本兵がその建設に大いに貢献した。このときの日本人の働きは現在でも称えられ、この建物は日本とウズベキスタンとの友好のシンボルとなっている。

あとがき

ウズベキスタンから帰国してこの八月で三年が過ぎました。帰国時にはすぐにでもウズベキスタンを紹介する本を出版したいと考えていましたが、その後北朝鮮による日本人拉致問題にかかわることになり、出版の計画が延び延びになってしまいました。

ウズベキスタンは懐かしい国です。今でも折に触れて思い出します。三年間の滞在で素晴らしい人々との出会いがあり、多くの知己を得ました。温かく迎え入れて下さったカリモフ大統領、政府関係者そしてウズベキスタンの人々に心から感謝の気持ちを捧げたいと思います。

これまで、日本は西欧ともアジアとも異なる文化を持ち、世界の中で孤立した存在のように考えていましたが、中央アジアの国ウズベキスタンに三年間暮らして、日本と極めてよく似たものの考え方、同じ心を持った人々がこの遥か遠い地にいることを知りました。思いやりの心、分かち合う生活、他を認めて共に生きる生き方など、ウズベキスタンと日本には共通するものがあります。日本は決して孤立した存在ではなく、ウズベキスタンについての理解が深まれば、両国は真の友好国になれると考えています。

ウズベキスタンは現在建国の真最中です。イスラム原理主義グループによる侵攻への対応に苦慮しながらも、人々は自国の文化を大切に維持しつつ、近代化を図り、経済的発展を遂げようとたゆまぬ努力を続けています。

ウズベキスタンの人々は大変な親日家揃いです。日本の国連常任理事国入りを支持し、中央アジアにおいて日本が存在感を増すことを望んでいます。我が国がこの地域に対する経済協力を強化して、ウズベキスタンの経済発展を支援し、文化交流、人的交流が活発化することで、両国の友好関係が一層深まることを心から願っています。

三年間の勤務を無事遂行できたのは、当時ウズベキスタンに滞在しておられた在留邦人の方々のご協力、在ウズベキスタン日本国大使館館員達の日夜を分かたぬ励みがあったればこそと思っています。共に働いた全ての方々に心から感謝しております。

今回の執筆にあたって、ウズベキスタン政府及びウズベキスタンの友人達から温かいご協力をいただきました。旧大蔵省の先輩である尾崎護矢崎総業株式会社顧問からは、多くの本を出版している先輩として、貴重なご示唆をいただきました。心から感謝申し上げます。

中央出版の丹治史彦さん、フォトグラファーの首藤幹夫さん、ライトスタッフの河野浩一さん、前嶋裕紀子さんは出版のための作業を心を込めて進めて下さいました。

多くの方々のご協力を得て、この本は出来上がりました。この本がシルクロードの十字路にある国ウズベキスタンに日本の人々が関心をお寄せ下さる一助となれば、この上ない喜びです。

二〇〇五年八月　元ウズベキスタン特命全権大使　中山恭子

参考文献

◎書籍

『ルバイヤート』オマル・ハイヤーム／小川亮作・訳
　岩波書店（一九四九）
『ブハラ――ある革命芸術家の回想』
　米内哲雄・訳　未來社（一九七三）
『中央アジアの歴史　新書東洋史』
　間野英二　講談社（一九七七）
『シベリア番外地』長友基　宮崎春秋（一九八二）
『ユーラシア記』加藤九祚　法政大学出版会（一九八四）
『世界の歴史10　草原とオアシス』
　山田信夫　講談社（一九八五）
『中央アジア捕虜記――死線を超えて』
　山崎俊一　ミネルヴァ書房（一九八五）
『明治シルクロード探検紀行文集成　第3巻・第4巻』
　ゆまに書房（一九八八）
『やきもののシルクロード』
　加藤卓男　中日新聞本社（一九八九）
『ユーラシア野帳』加藤九祚　恒文社（一九八九）
『サマルカンド年代記
　――「ルバイヤート」秘本を求めて――』
　アミン・マアルーフ／牟田口義郎・訳　リブロポート
（一九九〇）
『アレクサンダー大王――未完の世界帝国』
　ピエール・ブリアン／福田素子・訳　創元社
（一九九一）
『シルクロード――砂漠を越えた冒険者たち』
　ジャン＝ピエール・ドレージュ／吉田良子・訳　創元社
（一九九二）
『シルクロード紀行　上・下』
　井上靖　岩波書店（一九九三）
『動乱の中央アジア探検』
　金子民雄　朝日新聞社（一九九三）
『日本外交　現場からの証言』
　孫崎享　中央公論社（一九九三）
『辺境の旅から〈ユネスコ選書〉』
　金子民雄　古今書院（一九九四）
『南ウズベキスタンの遺宝』
　ウズベク共和国文化省ハムザ記念芸術学研究所
　／創価大学（一九九四）
『中央アジア歴史群像』加藤九祚　岩波新書（一九九五）
『革命の中央アジア　あるジャディードの肖像』
　小松久男　東京大学出版会（一九九六）
『経済改革の深化の道を歩むウズベキスタン』
　イスラム・カリモフ　日本ウズベキスタン経済委員会
（一九九六）
『チムール王朝貨幣』
　ウズベキスタン銀行協会（一九九六）
『よみがえるシルクロード国家――中央アジア最新情報』
　アハメド・ラシッド／坂井定雄　岡崎哲也・訳　講談社
（一九九六）

『中央アジア北部の仏教遺跡の研究』
　シルクロード学研究（一九九七）
『内陸アジア史の展開』梅村担　山川出版社（一九九七）
『中央アジア――市場化の現段階と課題――』
　清水学・編　アジア経済研究所（一九九八）
『マニ教とゾロアスター教』
　山本由美子　山川出版社（一九九八）
『玄奘三蔵のシルクロード　中央アジア編』
　安田暎胤・文／安田順惠・写真　東方出版（一九九九）
『玄奘の道・シルクロード　鎌澤久也写真集』
　鎌澤久也　東方出版（一九九九）
『西遊記のシルクロード　三蔵法師の道』
　朝日新聞社（一九九九）
『三蔵法師のシルクロード』高橋徹・文／後藤正・写真
　朝日新聞創刊１２０周年記念大阪事務局（一九九九）
『中央アジア経済』北村歳治　東洋経済新報社（一九九九）
『21世紀に向かうウズベキスタン』
　イスラム・カリモフ　日本ウズベキスタン経済委員会
（一九九九）
『遥かなり流砂の大陸』秋吉茂　河出書房新社（一九九九）
『新日本古典文学大系　一　萬葉集一』佐竹昭広／山
　田英雄／大谷雅夫／山崎福之／工藤力男　岩波書店
（一九九九）
『ウズベキスタン　シルクロードのオアシス』
　関治晃・文／萩野矢慶記・写真　東方出版（二〇〇〇）
『アイハヌイ――加藤九祚一人雑誌』
　加藤九祚　東海大学出版会（二〇〇一～二〇〇四）
『キルギス大統領顧問日記』
　田中哲二　中央公論新社（二〇〇一）
『テルメズ』加藤九祚／Ｓｈ．ピダエフ（二〇〇一）
『ウズベキスタン見聞記』室井強（二〇〇二）
『ウズベキスタン考古学新発見』
　加藤九祚／Ｓｈ．ピダエフ　東方出版（二〇〇二）
『世界遺産ガイド　中央アジアと周辺諸国編』
　古田陽久　世界遺産総合研究センター（二〇〇二）
『ナボイ劇場建設の記録とタシケント第4収容所の想い出』
　永田行夫（二〇〇二）
『春の喇叭　サマルカンド日本語教師物語』
　中島章子　東海大学出版会（二〇〇二）
『アレクサンドロスの時代』
　ＮＨＫ「文明の道」プロジェクト　日本放送出版協会
（二〇〇三）
『オアシス国家とキャラヴァン交易』
　荒川正晴　山川出版社（二〇〇三）
『黄砂は風に吹かれて　ウズベキスタンがくれたもの』
　沢居靖　日本文学館（二〇〇三）
『中央アジアを知るための60章』
　宇山智彦　明石書店（二〇〇三）
『点をつないで　シルクロード
　――ウズベキスタン・モンゴル・中国を行く』
　田中満男　文芸社（二〇〇三）

『百十二日間のウズベキスタン』
小野健一　文芸社（二〇〇三）
『ヘレニズムと仏教』ＮＨＫ「文明の道」プロジェクト
日本放送出版協会（二〇〇三）
『現代中央アジア論　変貌する政治・経済の深層』岩崎一郎／宇山智彦／小松久男　日本評論社（二〇〇四）
『追憶　ナボイ劇場建設の記録——シルクロードに生まれた日本人伝説——』
ＮＰＯ日本ウズベキスタン協会（二〇〇四）
『もうひとつの抑留　ウズベキスタンの日本人捕虜』
藤野達善　文理閣（二〇〇四）
『モンゴル帝国』ＮＨＫ「文明の道」プロジェクト
日本放送出版協会（二〇〇四）
『偉大なるシルクロードの遺産』
偉大なるシルクロードの遺産展実行委員会（二〇〇五）
『自叙伝　我が人生に悔いなし』渡辺豊（二〇〇五）
『中央ユーラシアを知る事典』
小松久男／梅村坦／宇山智彦／帯谷知可／堀川徹　平凡社（二〇〇五）
『ワンダーアイズ』
ワンダーアイズプロジェクト　求龍堂（二〇〇五）

◎雑誌・広報誌・情報誌等

「ダルヴェルジンテパ」『オリエンテ　14～23号』
（財）古代オリエント博物館（一九九六～二〇〇一）
「よみがえるシルクロード」『国際協力』（一九九八年十月号）国際協力事業団
『公庫月報　vol.594, 595』農林漁業金融公庫（二〇〇〇）
「ウズベキスタン共和国桜植栽プロジェクト」『林業いばらき』茨城県林業改良普及協会（二〇〇三年六月号）
『中央アジア』ウズベク国家観光局

◎報告書等

『中央アジア鉄道整備協力調査　平成7年度報告書』
（社）海外鉄道技術協力協会（一九九六）
『中央アジアにおける市場経済化の現状と展望』
アジア経済研究所（一九九六）
『ウズベキスタン　農業（養蚕・植物遺伝資源）開発基礎調査団報告書』国際協力事業団（一九九七）
『中央アジア：市場経済化と国家の役割』
アジア経済研究所（一九九七）
『ウズベキスタン共和国調査報告書』
農用地整備公団（一九九八）
『ウズベキスタン共和国　農村金融システム改革報告書』
（一九九八）
『ウズベキスタン共和国の経済改革に関する提言』
野村総合研究所（一九九八）
『ウズベキスタン国航空輸送改善総合開発計画調査』
日本空港コンサルタンツ（一九九八）
『砂漠に日本庭園』福島県ウズベキスタン協会（一九九八）
『中央アジア電力事情視察団報告　独立——変革への試練』
（社）日本電気協会新聞部（一九九八）

『ロシア・中央アジア対話ミッション報告』
ロシア・中央アジア対話ミッション（一九九八）

『キルギスにおける邦人誘拐事件　調査報告書』
外務省（一九九九）

『ＣＩＳ情報ファイル』（社）ロシア東欧貿易会／ロシア東欧経済研究所（一九九九）

『平成11年度中央アジア畜産事情調査委託事業報告書』
海外農畜産業・農村金融研究所

『ウズベキスタン　開発途上国国別経済協力シリーズ』
（財）国際協力推進協会（二〇〇一）

『カスピ海石油・ガス開発・輸送の現状と展望』
（社）ロシア東欧貿易会／ロシア東欧経済研究所
（二〇〇一）

『中央アジア諸国の裁判制度報告書』
名古屋大学大学院法学研究科（二〇〇一）

『中央アジアの水資源と環境が経済発展政策に占める位置』
塚谷恒雄（二〇〇一）

『中央アジアから世界と歴史を読み解く』
ＮＰＯ日本ウズベキスタン協会／国際交流基金
（二〇〇二）

『中央アジアの持続可能な発展に向けた日独の貢献』
ＮＩＲＡ（総合研究開発機構）（二〇〇二）

『キジルクムの自然、歴史、文化遺産』
淵ノ上英樹／塚谷恒雄／三橋勇／ボリス・シャラトニン
京都大学経済研究所（二〇〇三）

『市場経済移行期におけるウズベキスタンの農業』

重要政策中枢支援

◎**その他**

「ヒマワリの咲く峠道」みのわたかひさ（二〇〇〇）

「中央アジア流動化の要因としてのイスラム過激派
――イスラム過激派の活動の抑制を考える」宮田律
（日本国際問題研究所　平成14年度外務省委託研究
「中央アジアをめぐる新たな国勢情勢の展開」第一章）
www.jiia.or.jp/indx_research.html

「Ｕｚｂｅｋｉｓｔａｎ滞在記
――ＪＩＣＡ教育改革政策アドバイザーの記録」遠藤剛
（二〇〇二）

◎**海外文献・資料等**

“MINIATURES TO POEMS OF ALISHER NAVOI” Tashkent (1970)

“THE FINE ART OF UZBEKISTAN” Tashkent (1976)

“LES TRÉSORS DE DALVERZINE - TÉPE” Léningrad (1978)

“ORIENTAL MINIATURES” Tashkent (1980)

“Alisher Navoi Opera and Ballet Theater” Tashkent (1981)

“MINIATURES ILLUSTRATIONS OF ALISHER NAVOI’S WORKS of the XV-XIXth centuries” Tashkent (1982)

“MINIATURES ILLUMINATIONS OF AMIR HOSROV DEHLEVI’S WORKS” Tashkent (1983)

“Uzbekistan” Tashkent (1984)

“Bukhara” Tashkent (1986)

"DECORATIVE PAINTING OF UZBEKISTAN" Tashkent (1987)

"BUKHARA A MUSEUM IN THE OPEN" (1991)

"CULTURE AND ART OF ANCIENT UZBEKISTAN Volume1, 2" Moscow (1991)

"KHIVA" UZBEKISTAN PUBLISHERS (1994)

"MODERN MINIATURE PAINTING OF UZBEKISTAN" Tashkent (1994)

"UZBEK NATIONAL DISHES" Tashkent (1995)

"Amir Temur" Tashkent (1996)

"Surkhondaryo" Tashkent (1996)

"THE ANIMAL KINGDOM" V. A. Moiseev (1996)

"BUKHARA AN ORIENTAL GEM" Tashkent (1997)

"CATALOGUE OF ANTIQUE AND MEDIEVAL COINS OF CENTRAL ASIA I, II, III" NATIONAL BANK OF UZBEKISTAN (1997, 2000)

"KHIVA THE CITY OF 'A THOUSAND DOMES'" Tashkent (1997)

"EVERNEW TASHKENT" Tashkent (1998)

"LIGHT FROM THE DEPTH OF CENTURIES" Tashkent (1998)

"Uzbekistan At the Doorstep of the Third Millennium" Uzincomcenter (1998)

"REPORT ON THE STATUS OF WOMEN IN UZBEKISTAN" undp / GID Unit / Center for Economic Research (1999)

"The Basic Indicators of Social and Economic Development of the Republic of Uzbekistan in 1998" Tashkent (1999)

"Uzbekistan Social and Structural Policy Review" Document of the World Bank (1999)

"ATLAS" Tashkent (2000)

"THE MAIN DIRECTIONS OF FURTHER DEEPENING DEMOCRATIC AND FORMING THE FUNDAMENTALS OF CIVIL SOCIETY IN UZBEKISTAN" Tashkent (2000)

"THE PACK OF WOLVES" Oleg Yakubov (2000)

"CAREBUK" Ouzbékistan (2001)

"CATALOGUE OF ANTIQUE AND MEDIEVAL COINS OF CENTRAL ASIA ANNIVERSARY EDITION" NATIONAL BANK OF UZBEKISTAN (2001)

"Greece-Uzbekistan. Common Cultural Traditions." Tashkent (2001)

"TERMEZ" Tashkent (2001)

"THE HOLY THRESHOLD OF MOTHERLAND" Tashkent (2001)

"Transition report 2001 Energy in transition" European Bank (2001)

"UZBEKISTAN—ON THE ROAD OF PROGRESS" Tashkent (2001)

"THE CENTRE OF GRENDEUR" Tashkent (2002)

"THE GREAT SILK ROAD" Uzbekistan (2002)

"Uzbek silk" (2002)

"UZBEKISTAN THE MONUMENTS OF ISLAM" Tashkent (2002)

"TANAVORS" Tashkent (2003)

"THE ART OF UZBEK CUISINE" Tashkent (2005)

"A Song in Metal" Tashkent

"Tax Reform in the Republic of Uzbekistan" Institute of Fiscal and

Monetary Policy Ministry of Finance, Japan
"THE REPUBLIC OF UZBEKISTAN Encyclopedic reference"
Nurislom Tukhliev / Alla Krementsova Uzbekiston milliy entsiklopediyasi
"TRAVEL GUIDE UZBEKISTAN" UZBEKTOURISM

中山恭子（なかやま・きょうこ）

一九四〇年生まれ。
一九六三年三月、東京大学文学部仏文学科卒業。
一九六六年四月、大蔵省（現財務省）入省。
四国財務局長、大臣官房審議官を務める。
一九九三年九月、国際交流基金常務理事。
一九九九年七月、ウズベキスタン共和国特命全権大使
　兼タジキスタン共和国特命全権大使。
二〇〇二年九月から二〇〇四年九月、内閣官房参与。
二〇〇四年四月、香川大学大学院客員教授。
二〇〇五年四月、早稲田大学大学院客員教授。
二〇〇六年九月、安倍内閣総理大臣補佐官（拉致問題担当）。
二〇〇七年七月、参議院議員当選。
二〇〇七年九月、福田内閣総理大臣補佐官（拉致問題担当）。
二〇〇八年八月、福田内閣　内閣府特命担当大臣（少子化対策・男女共同参画）
　公文書管理担当大臣、拉致問題担当大臣。
二〇〇八年九月、麻生内閣総理大臣補佐官（拉致問題担当）。
二〇一三年七月、参議院議員再選。
夫は前衆議院議員・中山成彬氏。

装　幀　藤田知子
撮　影　首藤幹夫
編　集　丹治史彦、浅井文子
（アノニマ・スタジオ）
編集協力　河野浩一、前嶋裕紀子
（ザ・ライトスタッフオフィス）
取材協力　駐日ウズベキスタン大使館
ウズベキスタン国営航空

ウズベキスタンの桜

二〇〇五年十一月十六日　初版第一刷　発行
二〇一五年　三　月二十日　初版第四刷　発行

著　者　中山恭子
発行人　前田哲次
発行所　ＫＴＣ中央出版
東京都台東区蔵前二―一四―一四
〒一一一―〇〇五一
電　話　〇三―六六九九―一〇六四
ファクス　〇三―六六九九―一〇七〇

印刷・製本　凸版印刷株式会社

ISBN978-4-87758-354-5 C0095 ©2005 Kyoko Nakayama, Printed in Japan